JAMES HERRIOT'S

Cat Stories

SOFT TOFFEE
CORRECT WEIGHT

集英社文庫

猫物語

ジェイムズ・ヘリオット
大熊　榮・訳

集英社版

猫物語

目次

口絵・本文イラストレーション／レズリー・ホームズ

作者からのメッセージ

私の人生の中で猫はいつも大きな役割を演じてきた。グラスゴーで送った少年時代に始まり、開業獣医時代を経て、引退の身となったいまも、猫たちはまだそばにいて私の日々を明るくしている。

猫は私が獣医を職業に選んだ主な理由のひとつだった。学校へ通っていたころの私の動物世界はドンという名のすばらしいアイリッシュ・セッターが中心に坐っていて、私はほぼ十四年間ドンとともにスコットランドの丘陵地を歩き回ったものだが、そうした放浪から帰ってくると、いつも猫たちが出迎えてくれて、私の脚にまとわりつき、喉《のど》をごろごろ鳴らして私の両手に顔をこすりつけたのだった。

私が生まれ育った家には絶えず数匹の猫がいて、一匹一匹が格別の魅力を湛《たた》えていた。生まれつき優美で気難しく、そのくせ深い愛情には深い愛情をもって応える猫たちはどれもこれもいとおしく、いつかは獣医大学へ行って猫のことを勉強したいものだと思うようになった。猫の遊び好きなところもまた尽きない楽しみの種だった。いまでも覚えているのはトプシーという名の雌猫だ。ドンを唆《そそのか》して遊びに誘い込む名人で、なにか下心ありそうに両耳をピンと立てて、何度も踊るようなしぐさをしながらそろりそろりと犬に近づく。ドンが堪《こら》えきれなくなって飛びかかると、トプシーの思いどおりにレスリングマッチが始まり、それが延々と続くのだった。猫が病気になって、地元の獣医が往診にやってくるような折、私は獣医の手捌《てさば》きを感心しながら眺めたものだ。動物を詳しく研究し、からだの中のあらゆる骨や神経や腱《けん》を知り抜いているひとがそこにいるというだけで感動的だった。

ところが驚いたことに、獣医大学へ入学してみると、わが愛する猫たちへ興味を注ぐ局面はどこにもないことがわかった。教科書の一冊は『シッソン家畜解剖学』という表題の巨大な本で、かなり屈強の男でなければ書棚から下ろせず、それを持ち運ぶとなると文字どおりの重労働だった。私はその本のページを夢中になってめくっていった。馬、牛、羊、豚、犬の内部構造が豊富な図版によって厳密にこの順序で示されている。犬はかろうじて取り上げられているが、猫はどこにも見つからない。最後に私は索引を調べた。〝C〟の文字で始まる項目の中に〝cat〟などなかったので、ああ、そうか、〝F〟の文字で始まる項目の中に〝feline（ネコ科の動物）〟として入っているのだなと私は思った。しかし今度も探究はむだに終わった。このばかでかい本はわが哀れな毛深い友人たちに言及すらしていないのだなと、私は悲しい気持ちで結論せざるをえなかった。

私は信じられなかった。猫がいるおかげで喜びや慰めや友情を感じることができる何千何万の老人や寝たきりの病人たちのことに私は思いを馳せた。猫はそのひとたちが持てる唯一のペットなのだ。いったい獣医学はなにを考えていたのだろうか？　率直に言って獣医学は時代遅れになっていたというのが事実だった。『シッソン家畜解剖学』は一九一〇年に初版が出てから、一九三〇年までに何度も版を重ねていて、私が学生時代に勉強したのは出版されたばかりのこの一九三〇年版だった。これは私がしばしば公言してきたことだが、確かに開業獣医としての人生を大型家畜相手に過ごしてきたけれども、私のもともとの志は犬と猫の医者になることだった。しかし私が資格を取ったのは仕事を見つけるのが難しい一九三〇年代の大不況時代で、結局私はウェリントンブーツを履《は》いて北ヨークシャーデールをあちこち歩き回ることとなった。私はその仕事を五十年以上もやってきて、一瞬たりとも後悔したことはないが、最初は猫を相手にできなくて寂しくなるのではないかと思ったものだ。

　私は間違っていた。猫は至るところにいたからだ。農場という農場に猫が飼われていた。農場の猫たちはネズミを追い払い、のんびりした場所で気ままな生涯を送っていた。猫は居心地のいい場所をよく知っている。干し草棚の心地よさそうな巣に母猫と子猫たちがかたまっているのを、私は雌牛《めうし》の頭部を診察しながらよく見かけたものだ。温もりの好きな猫たちは麦藁《むぎわら》の梱《こり》と梱の間にまるまったり、日の当たる隅に幸せそうに寝そべったりしていた。冬の寒い日には私の車の暖かいボンネットが抗いがたい魅力で猫たちを惹きつけたものだ。私が車を農場へ乗り入れるやいなや、一匹か二匹の猫がフロントガラスのすぐ前に飛び乗ってくるのだった。農民の中には、実用目的以外に、ほんとうに猫が好きで飼っているひともいて、そういうひとの農場へ行くと、二十匹ほどの小さな生きものたちが思いがけない温もりのボーナスを楽しみに飛び乗ってきた。私が仕事を終えて車に戻ると、どろんこの猫の足跡が温もったボンネットに所せましと模様を描いてついていたものだ。この足跡の模様はすぐに乾いてこびりつき、そのまま半永久的な装飾となるのだった。というのも、私には車を洗う時間も趣味もなかったからだ。

　小さな田舎町で毎日の往診へ出かけて行くと、質素な家で猫と暮らす老人たちの実例にたくさん出会った。猫は暖炉のそばに寝そべったり、老人たちの膝の上でまるくなったりしていた。こういう仲間がいるのといないのとでは、老人たちの生活に雲泥《うんでい》の差が生じていたものだ。

猫と言えばこういうことが思い浮かぶにもかかわらず、正式の獣医教育は猫を無視していたのだった。とはいえ、それは五十年以上も前の話で、当時ですら事情が変わりはじめていたことは事実だ。やがて獣医大学の講義でも猫が扱われるようになり、私たちの診療所へ実務見習いにやってくる学生たちから、私はせっせと知識を吸収した。その後診療所を拡張して若い助手を雇うようになると、新しい知識ではちきれそうになってやってくる彼らからも知識の吸収に努めた。さらには獣医専門誌にも猫関係の記事が載るようになり、私はそれを貪《むさぼ》るように読んだものだ。

これは私の獣医生活五十余年にわたってずっと続いたのだが、引退してすべてが終わったいまも、私はしばしば過去を振り返り、私の時代に生じたもろもろの変化について考えたりしている。もちろん、猫が認知されたという出来事は獣医という仕事を変えたほとんど爆発的とも言える変革のほんのささやかな一部に過ぎない。農耕馬が事実上姿を消し、抗生物質が出現して、私が投薬しなければならなかった中世時代以来からのような薬を一掃し、新しい外科的処方が導入され、驚異的な予防ワクチンが定期的に現れてきたからだ。これらすべての出来事はまるで夢が現実になったように私には思えた。

猫はいまやすべての家庭用ペットの中で最も人気があるのではないかと言われている。高名な獣医が猫についての大きな信望厚い本を書き、実際、ほかのすべての動物を排除して猫だけを専門に扱う獣医もいるほどだ。

私がものを書く机の前には、あの遠い昔に勉強した古い教科書がずらりと横一列に並んでいる。『シッソン家畜解剖学』もそこにあって、相変わらずその巨大さで他を圧倒している。ほかのすべての本も、過去のなにかを思い出そうとしたり、あるいはただ思いきり笑いたくなったりした時などに、私はちょくちょく覗きつづけている。この古い教科書の群れのとなりに、どれもこれも同じテーマを扱った真新しい本がたくさん並んでいるのだが、それらはすべて猫の本だ。

私はまた多くのひとが猫について抱いていた奇妙な見方を思い出す。猫は自分勝手な生きもので、自分に都合のいい時しか愛情を示さないとか、犬が見せるいちずな愛は望めないとか、自分だけの興味にかまけていて、まったく打ち解けないなどという見方だ。なんとばかげた見方だろうか！　猫が私の顔に顔をこすりつけてきたり、注意深く爪を隠した足で私の頰《ほお》に触ったりするのを私は経験している。私から見ると、そういうしぐさは愛情の表現なのだ。

いまこれを書いている時、わが家に飼い猫はいない。ボーダーテリアのボーディーが猫を認めず、すぐに追いかけたがるからだ。しかしながら、わがボーディーは猫が先に駆け出すまで走り出さない。大小問わずどんな犬とでも喧嘩《けんか》するボーディーだが、猫には密《ひそ》かに用心している。自分の地所に猫が入っていると、それを避けようとしてボーディーは大変な遠回りをする。猫たちが村の近隣の家からわが家へやってくるのはボーディーが眠っている時だけだ（しかも十三歳になるボーディーは眠るのが大好きときている）。わが家のキッチンの窓のすぐ外には胸ほどの高さの塀《へい》があって、ここに種々雑多な猫たちが集まってきては、なにがもらえるかと待ち構える。

わが家は猫の好物をいろいろと用意していて、それを塀の上に並べる。ところが、白と黄色のすばらしい毛並みの雄猫がいて、この猫はたいそうひとなつこく、餌《えさ》をもらうより、むしろかわいがってもらいたがる。喉を雷《かみなり》のように鳴らしながら私の掌《てのひら》に鼻をこすりつけてこようとするので、珍味の入った箱が私の手から落ちそうになる。このため私はしばしば猫と大変な格闘を演じることになる。たいてい私は餌やりをあきらめ、雄猫がほんとうに望んでいる愛撫《あいぶ》に集中しなければならない。こすったり、撫《な》でたり、顎《あご》をくすぐったりするのだ。

いったん引退したら、それまでの仕事場へ頻繁《ひんぱん》に通いつづけてはならないという格言があるが、これはなかなか気の利いた格言だと思う。もちろんスケルデール・ハウスは私にとって仕事場以上の場所だ。何千という思い出の詰まった家なのだ。シーグフリードやトリスタンと独身時代をともに過ごした家、結婚生活を始めた家、子供たちが生まれ育った家、そして半世紀に及ぶ開業獣医の勝利と災厄《さいやく》を潜《くぐ》り抜けた家だ。しかし、このごろはもう、郵便を受け取りにだけスケルデール・ハウスへ行くにすぎない。ついでに診療所のようすがどうなっているかをちょっと覗き見する程度だ。

診療所は息子のジミーが若くすばらしいパートナーたちと経営している。先週、私は診察室に入って、診察やら手術やら予防接種やらを受けに入れ代わり立ち代わりする小動物の流れを眺めていた。仕事の九〇パーセントが農業関係だった私の若いころとは大違いの景色だった。

私は毛むくじゃらの流れから目をそらしてジミーに話しかけた。「診療所で最もよく診察するのはどんな動物かね?」私はそう訊いたのだった。

息子は一瞬考えてから答えた。「たぶん犬と猫が五分五分だと思うけど、猫のほうが少しずつ多くなってきているような気がするな」

1　アルフレッド——お菓子屋の猫

喉《のど》がたまらなく痛かった。吹きさらしの丘陵斜面で三日連続して夜の子羊分娩にシャツ姿で立ち会った結果、風邪《かぜ》を引き込んでしまい、ジェフ・ハットフィールドの咳《せき》止《ど》めあめ一箱が緊急に必要な感じだった。非科学的な療法かも知れないが、私はこの強力な小粒のあめを子供のように信じていた。これは口の中で爆発し、薬効のある蒸気を勢いよく気管支へ送り込む。

店は通りから隠れているような路地にあり、しかも大変ちっぽけで——狭苦しい小部屋程度の大きさだったので——窓の上に《ジェフリー・ハットフィールド菓子店》という看板を掲げる余地もほとんどなかった。しかしそこは混んでいた。いつも混んでいた。それにその日は市日だったので、ぎっしり満員だった。

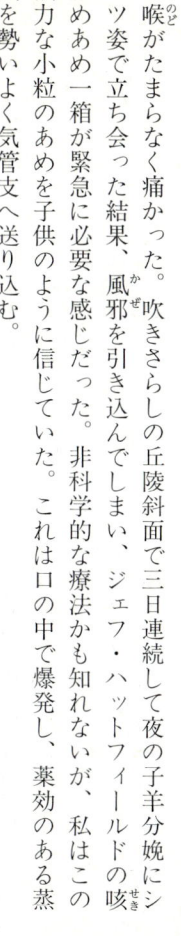

ドアを開けると小さなベルがチリンと鳴った。私は近くの婦人たちや農場の奥さんたちが押し合いへしあいする中へ割り込んで行った。しばらく待たなければならなかったが、気にならなかった。ハットフィールドさんが働いているところを眺めるのは、私の人生でむしろやりがいのあることのひとつだった。

私が店へ来たタイミングもまたよかった。店主が厳密に品選びしている最中だったからだ。彼は私に背を向け、広い肩の上の銀髪のりっぱな頭を心持ち傾けながら、壁際に並ぶ背の高いガラスの菓子壺《つぼ》を眺め渡した。両手を後ろに組んで、緊張と弛緩《しかん》を交互に繰り返しながら、内面での葛藤《かっとう》を続けていたが、やがて彼はガラス壺をひとつひとつじっと見つめながら、壺の並びに沿って二、三歩進んだ。私はふと、敵との最上の交戦法を考えながらヴィクトリー号の後甲板を歩き回るネルソン提督ですらそれほどの驚異的な集中力を見せなかったのではないかと思った。

彼が片手を伸ばし、それから首を振りながらその手を引っ込めた時、小さな店の中の緊張は一気に高まった。しかし、彼が最終的に重々しく頷《うなず》き、肩を怒らせて両手を伸ばし、菓子壺をつかんでくるりと客のほうを向くと、集まった婦人たちの間で溜《た》め息《いき》が漏《も》れた。彼の大きな、ローマの元老院議員ふうな顔はしわだらけになって、やさしい笑みを浮かべた。

「さあ、モファットさん」と彼はがっしりした婦人によく響く声で言い、両手で持ったガラスの壺を、カルティエ宝石店の店員がダイヤモンドのネックレスを見せるような手つきで、優雅にうやうやしく、ほんの少し傾けた。「これがあなたの興味を引くかどうかですね」

買い物籠《かご》を抱えたモファット夫人は壺の中の紙で包まれたキャンディーをじっと覗き込んだ。「そうね、あたしゃわからないわ……」

「もし私の記憶が正しければですね、奥さん、あなたはロシアのキャラメルに似たようなものを捜しているんだと言ったんですよ。で、この小さいキャラメルなら申し分なく推奨できますね。必ずしもロシアのものそっくりじゃありませんが、それでも非常においしい、とろけるようなタフィーです」彼の表情は期待を込めて真剣になった。

彼の朗々として滑らかな説明の口調に乗せられて、私はそのタフィーをわしづかみにし、その場で貪《むさぼ》り食《く》いたくなった。そして同様の効果がモファット夫人にもあったようだ。「それじゃね、ハットフィールドさん」と彼女は熱っぽく言った。「半ポンドほどもらうわ」

店主は軽くお辞儀した。「毎度ありがとう、奥さん。きっとこれにしてよかったと思いますよ」彼は表情を緩め、優雅な笑みを浮かべると、いとおしそうにタフィーを

HATFIELD

スケールで取り、袋に入れてプロの手つきでくるりと袋の口を回した。それを見て私はいよいよそのタフィーがほしいと思いはじめた。

　ハットフィールドさんはカウンターに両手をついて身を乗り出し、客に視線を注いだままうやうやしくお辞儀して、相手が店を出て行くのを見送りながら「ありがとうございました、奥さん」と言った。それから店の中の客たちに顔を向けた。「ああ、ドーソンさん、よくいらっしゃいました。今朝《けさ》はどんなおいしいものをお捜しで？」

　相手の婦人は見るからにうれしそうににこりとした。「先週いただいたファッジ・チョコレートをすこしいただきたいの、ハットフィールドさん。とってもおいしかったわ。まだあるかしら？」

「もちろん、ありますとも、奥さん。私の推奨品をお認めいただいて光栄です。あれがほんとうのおいしいクリーミーな香りなんです。ああ、そうそう、たまたまちょうどイースター特別贈答用の箱入りが委託販売品として届いたところでしてね」彼は棚から一箱取って、掌《てのひら》に載せた。「どうです、ほんとうにきれいな、魅力的な箱でしょう、そう思いませんか？」

　ドーソン夫人は急いで頷《うなず》いた。「まあ、ほんと、とってもきれいね。一箱いただくわ。ほしいものはほかにもあるの。家族で楽しめるおいしいハードキャンディーを大

袋にたっぷり。いろいろな色が入ってるのがいいわ。そういうの、あるかしら？」

ハットフィールドさんは両手を軽く合わせ、ドーソン夫人をじっと見ると、考え込むようにして長々と息を吸い込んだ。この姿勢をしばらく続けた後、くるりと向きを変え、両手を後ろに組み、ガラス壺の吟味をまた始めた。

そこが私の好きなところで、いつものように私はその後ろ姿を楽しんだ。よく見慣れた場面だった。客の込み合うちっぽけな店で難問と格闘する店主。そしてカウンターの端に坐っているアルフレッド。

アルフレッドはジェフの猫で、ハットフィールド家の居間へと続く、カーテンのかかった戸口近くの、磨き抜かれたカウンターの上にいつもまっすぐ堂々と坐っていた。いつものようにこの猫は店内のやりとりにいたく興味を覚えているらしく、主人の顔から客の顔へと交互に視線を移していた。これは私の想像かも知れないが、その表情は交渉へののっぴきならない関心を示したり、交渉結果への深い満足を示したりしているようだった。猫は決して自分の場所を離れたり、カウンターのほかの部分へ侵略したりしなかったが、時折婦人たちのだれかが頬《ほお》を撫《な》でたりすると、ゴロゴロと喉を鳴らし、優雅に婦人たちに頭をすり寄せて応答するのだった。

決していかなる見苦しい感情の披瀝《ひれき》もしないというところが、いかにもこの猫らしかった。そんなことをすれば威厳を損ねるし、威厳こそこの猫の不変の側面だった。子猫の時ですら、けじめなく遊びふけるようなことは決してしなかった。私は三年前にこの猫を去勢したが、それにたいして猫は私になんの恨みも抱いていないようだったし、その後でっぷりとしてやさしいトラ猫になった。私はいまアルフレッドがいつもの場所に坐っているのを見た。大きな構えで、ものに動ぜず、自分の世界に安住しているようすだった。明らかにこの猫には大変な存在感があった。

そしてその点でこの猫は飼い主にそっくりだと、いつもながら私はつくづく思うのだった。彼らは似た者同士で、あんなに献身的な友情で結ばれているというのもなんら不思議でなかった。

私の番が来ると、アルフレッドに触ることができたので、私は顎の下をくすぐった。猫はそれが好きで、頭を高くそらし、毛むくじゃらな胸の奥のほうからゴロゴロという音を出し、ついには店中に響き渡る音となった。

咳止めあめを受け取るのも、ちょっとした儀式なしではすまなかった。カウンターの後ろの大男はあめの入った箱を真剣に嗅《か》ぎ、それから片手で二、三度胸を叩いた。「いい匂いがしますよ、ヘリオット先生、恵みの蒸気です。これをしゃぶればすぐによくなりますすよ」彼はお辞儀をして、にこりとしたが、彼といっしょにアルフレッドもにこりとした。それは請け合ってもいいほど確かだった。

私は婦人たちの間を擦《す》り抜《ぬ》けて外へ出て、路地を歩きながら、ジェフリー・ハットフィールド現象に何度目かわからないが改めて感心した。ダロウビーにはほかにも数軒の菓子屋があったし、しかも二軒分の間口《まぐち》の大きな店で、ショーウィンドーに品物を魅力的に陳列していたのだが、どこの店も私がいま出てきたばかりのちっぽけな店ほどに商売が繁盛していなかった。すべてはジェフの独特な販売技術のためであることは明らかだった。それは絶対に彼の意図的演技などでなく、自分の職業への非の打ちどころのない誠心誠意の献身、つまりは自分がしていることへの喜びに由来していた。

彼のやりかたと〃気取った〃言葉遣いは、十四歳の時に彼といっしょに地元の学校を卒業した男たちからのちょっとした悪口の原因になっていたし、パブでは彼はしばしば〃司教〃と呼ばれたりしたが、どれもたわいのない話で、彼はだれからも好かれていた。もちろん婦人たちに至っては彼に憧れ、彼の注目に浴そうと群がり集まるのだった。

*

一カ月ほど後、私は娘のロージーが大好きなリコライス（甘草入りキャンディー）の詰め合わせを買うためにまた同じ店にいた。店内の情景はまったく同じで、ジェフリーはにこにこ顔で朗々と説明し、アルフレッドはあらゆる動きを追いながらいつもの場所に坐っていた。威厳と安寧を四方に振り撒く人間と猫のペアという格好だ。私がキャンディーを受け取る段になると、店主が耳元で囁《ささや》いた。

「正午になったら昼休みにするんですが、その時にアルフレッドを診《み》にきていただけますか、ヘリオット先生？」

「ええ、いいですよ」私はカウンターの端の大きな猫を見た。「なにか具合が悪いんですか？」

「いえ、いえ、違うんです……ただちょっとおかしいと思えるところがあるんです」

正午過ぎに、私は閉じたドアをノックした。ジェフリーはいまやだれもいない店の中へ私を入れ、カーテンのついた戸口から居間のほうへと案内した。ハットフィールド夫人が紅茶を飲みながらテーブルのところに坐っていた。彼女は夫よりずっと現実的な人物だった。「まあ、ヘリオット先生、うちの小さい猫ちゃんを診にきてくださったのね」

「そんなに小さくはありませんよ、お宅の猫は」と私は笑いながら言った。実際アルフレッドはいつになく巨大な姿で暖炉のそばに陣取り、炎を静かに見つめていた。猫は私のほうを見ると、立ち上がって、絨緞《じゅうたん》の上を悠然《ゆうぜん》とした感じでのそのそ歩いてきて、背中を私の脚に擦《こす》りつけた。私は奇妙に光栄な気分になった。

「実に美しい猫だ」と私は呟《つぶや》いた。このところしばらく近々と見る機会がなかったが、賢そうな目と、目元へ走る黒っぽい筋のついたひとなつこい顔は、これまでになくかわいく見えた。「よしよし」と私はちろちろ燃える暖炉の火に豪華に映える毛を撫でながら言った。「おまえは大きくて美しい猫だ」

私はハットフィールドさんのほうを向いた。「どこも悪くなさそうですね。なにが心配なんです？」

「たぶんなんでもないのかも知れません。見かけは確かにまったく変わっていないんですが、この一週間ほど食欲が少しなくなっているのに気づいたんですよ。あまり元気に食べようとしないんです。病気というわけじゃないんですが……ちょっとようすが違うんですよ」

「なるほど。ともあれ診察してみましょう」私は慎重に猫に近づいた。熱は正常で、粘膜は健康なピンク色だった。聴診器を出して、心臓と肺を聴診した――異常音はなしだった。腹部の触診からもなんの手がかりもつかめなかった。

「さて、ハットフィールドさん」と私は言った。「どこもこれといって悪いところはなさそうですよ。ちょっと衰えてきているのかも知れませんが、外見からではとてもそんなふうに見えませんね。とにかくヴィタミン注射をしてあげます。そうすれば元気が出てくるはずです。二、三日してもよくならなかったら私に知らせてください」

「ほんとうにありがとうございます、先生。感謝感激です。これで気が安まりました」大男はペットに手を差し伸べた。安心したような声の調子とは裏腹に、顔は心配そうな表情だった。彼らがいっしょにいるところを見ると、飼い主と猫がそっくりだという印象を新たにした。人間と動物の違いはあるが、堂々としたところがよく似ているのだ。

その後一週間ほどアルフレッドのことはなにも聞こえてこなかったので、正常な状態へ戻ったものと思っていた。そんなところへ、飼い主から電話があった。「うちの猫は同じままです、先生。事実、どちらかと言えば、少し悪くなっているようです。もう一度診察してもらえるとありがたいのですが」

前とまったく同じだった。精密に調べてもはっきりしたことはなにもわからなかった。そこで一クール分のミネラルとヴィタミンの混合錠剤を与えることにした。抗生物質による治療を始めてみても意味がなかった。熱は上がっていなかったし、なにかに感染した兆候もなかった。

スケルデール・ハウスからほんの百ヤードしか離れていなかったので、私は毎日毎日、この路地を通り、足を止めて店の小さな窓から中を覗き見る習慣ができた。毎日そこの店の中では見慣れた光景が展開していた。ジェフは客たちにお辞儀したり、微笑《ほほえ》んだりし、アルフレッドはカウンターのいつもの場所に坐っていた。万事順調のように見えたが、しかし……確かに猫はどこかようすが違っていた。

ある日の夕方、私は店の中へ入り、もう一度猫を診察した。「痩《や》せてきていますね」と私は言った。

ジェフリーは頷いた。「そうなんですよ、私もそう思ってるんです。食欲はまだかなりあるんですが、前ほど量を食べません」

「あと二、三日錠剤をやってみてくれませんか」と私は言った。「それでもよくならなかったら病院のほうへ連れて行って、もっと詳しく調べないといけません」

よくならないのではないかというひやな予感があったが、実際その通りとなって、私はべつの日の夕方キャット・ケイジを持って店へ向かった。アルフレッドは非常に大きかったので、ケイジに入るかどうかという問題があった。しかし私がそっと押し込んだ時、抵抗はなかった。

病院で私は猫から血液サンプルを採り、レントゲン写真も撮った。感光板にはなんの影もなく、研究所から送り返された報告によると、血液にもなんの異常もなかった。ある意味で安心したところもあったが、体重減少は着実に続いていたので、原因究明の役には立たなかった。その後二、三週間は悪夢のようだった。店の窓からの不安な覗き見は私にとって毎日の試練となった。大きい猫はまだいつもの場所に陣取っていたが、毎日毎日痩せていき、姿がすっかり変わってしまうほどだった。私は手を変え品を変えて、考えられるあらゆる薬と治療を試したけれども、なにひとつ効き目がなかった。シーグフリードにも診てもらったが、彼は私と同じ考えだった。進行性衰弱は内部に腫瘍《しゅよう》ができていることを予想させる兆候であるにもかかわらず、新たなレントゲン写真を撮っても、依然としてなんの影も写らなかった。あちこちいじり回され、検査され、腹部をこね回されたりして、アルフレッドはさぞかしうんざりしていたにちがいないが、迷惑そうな顔をすることは一度もなかった。すべての出来事を、持ち前の習性からか、冷静に受け入れていた。

状況をさらに悪くするもうひとつのことがあった。緊張が続いたためにジェフそのひとが憔悴《しょうすい》してしまったのだ。いかにも健康そうな肉付きが着実に衰え、いつもは血色のいい頬が青ざめて垂れ、もっと悪いことに、彼の劇的な販売スタイルが影を潜めはじめたのだ。ある日私は窓越しの覗き場所を離れ、婦人たちで込み合う店の中へ入って行った。見るのもつらい光景だった。ジェフは俯《うつむ》き加減に肩を落とし、にこりともしないで注文を取り、キャンディーを大儀そうに袋に詰め、ひとことふたことなにかもぐもぐ言うだけだった。朗々と響く声は消え、客たちの上機嫌なおしゃべりも止み、奇妙な沈黙が一座を支配していた。ほかの菓子屋とどこも変わらない感じになった。

なによりも悲しい眺めは、まだ自分の場所に毅然《きぜん》とまっすぐ坐っているアルフレッドだった。信じがたいほどに痩せこけ、毛はつやを失い、もうなにも興味がないと言いたげに、死んだような目でまっすぐ前を見つめていた。まるで猫の案山子《かかし》だった。

私にはもう耐えられなかった。その日の夕方、私はジェフ・ハットフィールドに会いに行った。

「今日、窓の外からお宅の猫を見たんですが」と私は言った。「急速に悪くなっているようですね。なにか新しい兆候でも？」

大男は元気なく頷いた。「ええ、実を言うとあるんです。先生に電話しようと思っていたんですよ。あれがちょっと吐いたんです」

私は緊張して拳《こぶし》を固く握り締めた。「これでまたひとつ難問が増えましたね。あらゆることがアルフレッドの内部でのなんらかの異常を示しているというのに、この私には原因がわからない」私は腰を曲げて、猫を撫でた。「この猫のこういう姿を見るのはつらいですね。この毛を見てください。あんなにつやつやしていたのに」

「そうなんですよ」とジェフは答えた。「自分のからだをほったらかしにしていて、このごろは顔も洗わないんです。そんな面倒なことはできないと言ってるようなもんです。以前はいつも毛をなめていました――何時間も続けざまになめてなめてなめまくったもんです」

私はジェフを見た。彼の言葉になにかぴんと来るものがあったのだ。「なめてなめてなめまくる、か」私は間を置いて考えた。「そう……考えてみると、アルフレッドみたいにからだをきれいにする猫は私の知るかぎり一匹もいない……」小さなヒントの火花が突然炎となり、私は急いで椅子にまっすぐ坐りなおした。

「ハットフィールドさん」と私は言った。「試験開腹をやりたいんですが」

「どういうことです？」

「思うに、この猫は内臓に毛玉が入っているのかも知れません。それを確かめるために手術したいんです」

「これの腹を切るってことですか？」

「そうです」

彼は目に手を当て、顎を胸に埋めた。しばらくそのまま動かなかったが、やがて苦悩の目で私を見た。「ああ、なにがなんだかわかりません。そんなことは考えたこともなかったもので」

「なにかをしないと、この猫は死んでしまいますよ」

彼は腰を曲げてアルフレッドの頭を何度も何度も撫でた。やがて目を上げずに、しわがれた声で言った。「わかりました。それで、いつ？」

「明日の朝」

翌日、手術室でシーグフリードとともに私は眠っている猫の上に屈み込みながら、気持ちの焦りを感じていた。最近私たちは小動物の外科手術を数多く手がけているが、いつもなにが見つかるかは見当がついていた。今回はまるで未知の世界へ踏み込むようなものだった。

メスを入れて切り進み、胃壁を切り裂いた瞬間、そこに見つかったのは、すべての問題の元凶である大きな絡まり合った毛玉だった。レントゲン写真の感光板に写らなかったしろものだ。

シーグフリードはにやりとした。「やれやれ、これで解決だ！」

「ほんとうに」と私は安堵感の大波に全身を洗われながら言った。「これで解決だ」

さらにほかにも小さな毛玉が見つかり、これらもすべて除去しなければならず、そのため腸壁を何カ所か縫合することとなった。私はこれが気に入らなかった。つまりこれは患者により大きな外傷とショックを与えることを意味していたからだ。しかし最終的にすべてが終わり、きちんと一列に並んだ皮膚の縫合跡が見えるだけとなった。

私がアルフレッドを家へ送り届けると、飼い主はまともに猫を見られなかった。まだ麻酔のために眠っている猫をようやくおずおずと見やると、ジェフは囁いた。「こいつは生きていけますか？」

「希望は大いにあります」と私は答えた。「ちょっとした大手術でしたから、快復するのに多少時間はかかるかも知れませんが、この猫はまだ若くて丈夫です。よくなるはずですよ」

ジェフが半信半疑でいることが私にはわかった。その後二、三日彼のようすは変わらなかった。私は猫にペニシリン注射をするために店の後ろの小さな部屋を訪ねつづけた。アルフレッドはいずれ死ぬものとジェフが決めてかかっていることは明らかだった。

ハットフィールド夫人はもっと楽天的だった。彼女はむしろ夫のほうを心配していた。

「そうなの、主人はあきらめちゃってるの」と彼女は言った。「それっていうのも、アルフレッドが一日中寝床で寝てばかりいるからなの。猫が家の中を走り回るまでには少し時間がかかるわよって言ってるんですけど、聞こうとしないのよ」

彼女は心配そうな目で私を見た。「それにね、ヘリオット先生、主人はご覧のとおりすっかり落ち込んじゃってるでしょ。別人になっちゃったの。またもとどおりになるのかどうか、わたしは時々心配になるわ」

私はカーテン越しに店を覗きに行った。ジェフは店で仕事をしていたが、機械仕掛けの人形のようで、がりがりに痩せ、にこりともせず、黙ってキャンディーを渡していた。かりにしゃべっても、大儀そうで声に張りがなく、あのなつかしい口調をすっかり失っているのは、私にはショックだった。ハットフィールド夫人は正しかった。彼女の夫は別人になってしまったのだ。そしてもし彼が変わったままになってしまうなら、彼の顧客はどうなるのだろうか、と私は思った。これまでのところ顧客はまだ店に来つづけているが、そう遠くないうちに彼らの足が遠のくだろうという予感があった。

ようすがいいほうへ変わりはじめたのは一週間後だった。私が居間へ入って行くと、アルフレッドの姿が見えなかった。

ハットフィールド夫人は椅子からいそいそと立ち上がった。「猫は大分よくなったわ、ヘリオット先生」と彼女は熱っぽく言った。「よく食べるようになったし、店へ出て行きたいようすを見せるようにもなったの。いまジェフと店のほうにいるわ」

久しぶりに私はカーテン越しにこっそりと店の中を覗いた。アルフレッドはもとの自分の場所に戻り、痩せた姿ではあったが、まっすぐに坐っていた。しかし猫の飼い主のほうはさっぱりよくなったようすがなかった。

私は居間のほうへ向き直った。「どうやら私はもう来なくてよさそうですね、ハットフィールドさん。お宅の猫は順調に快復しています。もうすぐ生まれ変わったように元気になりますよ」私は猫については大いに自信があったが、ジェフについてはそれほど確信がなかった。

＊

この季節は春子羊の出産ラッシュと産後の病気の世話のために、毎年のことながら私は大忙しだったので、ほかの患者のことを考える時間はほとんどなかった。妻のへレンのためにチョコレートを買おうと菓子店を訪ねたのは、三週間ほど後のことだったに違いない。店は混んでいた。客を掻《か》き分けて店内へ入って行くと、急にかつての恐怖が甦《よみがえ》ってきて、私は恐る恐る猫と飼い主を見た。

アルフレッドはいまやまたまるまると太って威厳を持ち、カウンターの奥の端に王様のように坐っていた。ジェフはカウンターに両手をついて身を乗り出し、客の婦人の顔を間近に覗き込んでいた。「するとこういうことですね、ハードさん、軟らかめの砂糖菓子のようなものをお捜しになっていると」声量豊かな声が小さな店に響き渡った。「ひょっとすると、ターキッシュ・デライトのことでしょうかね、それは」

「いいえ、ハットフィールドさん、そういう名前ではなかったですよ……」

彼は顎を胸に埋め、激しく集中しながら、磨き抜かれたカウンターの板を見つめた。やがて目を上げると、顔を婦人のほうへさらに近づけた。「それでは、パスティルでは……？」

「いいえ……違います」

「トリュフ？　ソフト・キャラメル？　ペパーミント・クリーム？」

「いいえ、まったくそんなんじゃないわ」

彼は背筋を伸ばした。これは難問だった。腕組みをして虚空《こくう》を睨《にら》み、長々と息を吸い込んだ。その時私は彼がまたもとどおりの大男に戻ったことを知った。彼が肩幅の広い、赤ら顔の、肉付きのいい男だったことを私は改めて思い出したのだった。

いくら考えても答えが見つからず、顎を突き出し、天井からさらなるインスピレーションを求めて彼は顔を上に向けた。見ると、アルフレッドもまた顔を上に向けていた。

ジェフがこの姿勢を保っている間、緊張した沈黙が続いたが、やがて彼の高貴な顔立ちにゆっくりと笑みが広がった。彼は指を一本立てた。「奥さん」と彼は言った。「今度こそ答えがわかりましたよ。白っぽい、とおっしゃいましたね……時にピンクで……かなり軟らかいと。つまりそれは……マシュマロでは？」

SOFT TOFFEE
CORRECT WEIGHT

ハード夫人はカウンターをどんと叩いた。「ええ、それですよ、ハットフィールドさん。その名前が出てこなかったんです」

「アハハ、そうだと思いましたよ」店主は大声で言った。オルガンのようなその声は屋根まで響いて行った。彼は笑い、婦人たちも笑い、そして私はこれを確信しているが、アルフレッドも笑った。

すべてがまた順調になった。店のだれもが幸福だった――ジェフもアルフレッドも婦人たちも。それに、忘れてならないこの私、ジェイムズ・ヘリオットもまた。

2 オスカー——社交家の猫

「ジム！　ジム！」

ヘレンと私がまだスケルデール・ハウスの屋根裏にある狭い居間兼寝室に住んでいたころのある晩春の夕方、トリスタンが遥《はる》か下のほうの通路から階段伝いに大声で叫んだ。

私は部屋を出て、階段の手擦り越しに顔を突き出して応じた。「なんだ、トリス？」

「ジム、邪魔して申し訳ないが、ちょっと下へ来てくれないか」トリスタンの上を向いた顔は心配そうな表情だった。

私は長い階段を一度に二段ずつ駆け降りた。少し息を切らしながら一階に降り立つと、トリスタンが建物の裏側にある診察室へと手招きした。手術台のそばに十代の女の子が立っていて、汚れた毛布をまるめたものに片手を載せていた。

「猫なんだ」とトリスタンは言った。彼が毛布を剝《は》がすと、中からは濃い縞模様の大きなトラ猫が現れた。大きいと言っても、骨に肉がついていればの話で、いまや肋骨《あばらぼね》と骨盤が痛々しげに毛の下に浮き出ていて、じっと動かないからだを手で触ってみると、骨の上に薄い皮一枚しか感じられなかった。

トリスタンが咳ばらいした。「痩せているだけじゃないんだ、ジム」

私は不思議に思って彼を見た。この時ばかりは彼も冗談を言っているようすではなかった。彼は猫の後ろ脚を一本そっと持ち上げた。猫は腹部に深傷を負っていて、ほかにも無数の傷があった。私がさらにショックを受けて、猫をじっと見すえていると、女の子が口を開いた。

「あっちのブラウンさんちの裏庭の暗いところにこの猫がうずくまっているのを見つけたんです。とても痩《や》せていて、なんだか元気がないみたいだなと思って、しゃがんで撫《な》でてあげようとしたんです。そしたら、ひどい怪我をしているのがわかったので、わたし、家に毛布を取りに行って、ここへ連れてきたんです」

「それはいいことをしてくれたね。ありがとう」と私は言った。「どこの家の猫か知っているの？」

女の子は首を振った。「知りません。迷い猫みたいに見えるんですけど」

「まったくその通りだね」私は深傷から目をそらして女の子を見た。「きみはマージョリー・シンプソンじゃないの？」

「そうです」

「きみのお父さんをよく知っているんだ。うちに郵便を届けてくれるからね」

「郵便配達員なんです」女の子は笑みを浮かべかけたが、唇が震えていた。「それじゃ、この猫をよろしくお願いします。なんとか治してあげてください。それとも、もうどうにもなりませんか……この傷？」

私は肩をすくめ、首を振った。女の子の目に涙が溢《あふ》れた。彼女はそっと手を伸ばして、弱り果てた小動物に触ると、急いで振り向いて戸口のほうへ向かった。

「ほんとうにありがとう、マージョリー」私は遠ざかる背中に向かって叫んだ。「心配しないでいいよ――ちゃんと面倒をみてあげるから」

それからしばらくトリスタンと私は押し黙ったまま瀕死《ひんし》の小動物を見下ろしていた。手術用照明の下ではなにもかもが見え過ぎるほどだった。損傷はきわめて重大で、傷口は泥まみれだった。

「なぜこんなことになったんだと思う？」トリスタンがようやく声を出した。「車に轢《ひ》かれたのかな?」

「かも知れない」と私は答えた。「しかしほかにもいろいろ考えられる。大型犬に襲われたのかも知れないし、だれかに蹴《け》られたか、殴られたということもありうるね」実際、猫についてはあらゆる可能性があった。と言うのも、猫はなにか残酷な遊びの格好の獲物ぐらいにしか考えていない人間がいるからだ。

トリスタンは頷いた。「ともかく、なにがあったにせよ、この猫は飢え死に寸前だったに違いないね。骸骨《がいこつ》みたいだ。きっと家から何マイルもさまよい歩いてきたんだろう」

「かわいそうに」私は溜め息をついた。「残念ながらやるべきことはひとつしかないと思うね。望みはない」

トリスタンはなにも言わず、そっと口笛を鳴らして、指先で猫の頬を何度も何度も撫でた。すると信じがたいことに、毛むくじゃらの胸のどこかからかすかにゴロゴロという音が聞こえてきたのだ。

トリスタンは目を丸くして私を見た。「なんとまあ、あの音を聞いた?」

「うん……こんな状態では驚くべきことだね。きっと気持ちの素直な猫なんだ」

トリスタンはうなだれて撫でつづけた。彼がどんな気持ちでいるかは容易に想像がついた。と言うのも、彼は患者の動物たちにたいして自分を鼓舞するかのように非情な態度を保持していたけれども、実は猫が彼の弱みなのだった。互いに六十の坂を越えたいまでも、彼は何年も飼っていた猫のことをビールを傾けながらしばしば私に語る。それは猫と人間の典型的な関係で、彼らは情容赦もなくいじめ合っていたのだったが、ほんものの愛情の上に成り立つ関係でもあった。

「しかたがないよ、トリス」と私はそっと言った。「やるしかない」私は注射器に手を伸ばしたが、なぜか哀れな猫のからだに針を差し込む気にならなかった。代わりに猫の頭に毛布をかぶせてやった。

「毛布の上からエーテルを少しかけてやってくれ」と私は言った。「そうすれば眠っているうちにあの世へ行けるだろう」

なにも言わずにトリスタンはエーテルの瓶《びん》の蓋《ふた》を取り、猫の頭の上あたりに中身を注ごうとした。するとその時、不格好に盛り上がった毛布の下からまた喉を鳴らす音が聞こえてきた。深みのある音はしだいに音量を増し、遠くから聞こえるオートバイの音のように私たちの耳の中で鳴り響いた。

トリスタンは瓶を片手できつく握り締めながら凍りついた人間のようになって、やさしくひとなつこそうな喉鳴らしの音波が立ちのぼってくる毛布のかたまりをじっと見下ろした。

やがて彼は目を上げて私を見ると、涙をぐっとこらえて言った。「こういうことはあまりしたくないよ、ジム。なにかほかにしてやれないだろうか？」

「つまりこの瀕死の猫を救ってやろうというわけ？」

「そう。傷を少しずつ縫合してやれないだろうか？」

私は毛布を持ち上げて、もう一度猫を見た。「正直に言って、これはどこから手をつけていいかわからないね、トリス。それに傷口が汚れ放題だ」

トリスタンはなにも言わず、ただ私をじっと見つづけた。私のほうもたいして説得は必要でなかった。親しげに喉を鳴らす猫にエーテルをかけたい気持ちが特に強いわけではなかったからだ。

「よし、わかった」と私は言った。「ひとつやってみよう」

酸素吸入器を取り付け、猫の顔に麻酔用マスクを当てて、温かい塩水で全身を洗ってやった。洗浄を何度も繰り返したが、こびりついて固まった泥のかけらをひとつ残らず流し去るのは不可能だった。洗浄後、数知れない傷口を縫い合わせるという途轍《とてつ》もない労力と時間のかかる仕事に取りかかった。幸いトリスタンの指先は敏捷で、私よりも上手なくらいに小さな丸針を操ることができたのだった。

二時間かけて何ヤードもの腸線《カットグート》（めん羊の腸から作った糸、異物として体内に残ることなく吸収される）を使った後、手術は完了し、猫はきちんとした外観を取り戻した。

「とにかくまだ生きているよ、トリス」と私は彼といっしょに器具を洗いはじめながら言った。「スルファピリジン（家畜用抗菌剤）を注射して、腹膜炎が起こらないことを祈ろう」当時はまだ抗生物質はなかったが、新薬はかなり進歩していた。

ドアが開いて、ヘレンが入ってきた。「ずいぶん時間がかかったのね、ジム」彼女は手術台に近づき、眠っている猫を見下ろした。「まあ、なんて痩せた猫なんでしょう。まったく骨と皮ばかりだわ」

「連れてこられた時はもっとひどかったんです」とトリスタンは言いながら滅菌器のスイッチを切り、麻酔装置のバルブを閉めた。「それでもずいぶんましになりましたよ」

ヘレンは猫をしばらく撫でてやった。「ひどい怪我だったの？」

「そうなんだ、ヘレン」と私は言った。「できるかぎりのことはしてやったけれど、正直に言ってあまり望みがあるとは思えないね」

「まあ、かわいそう。こんなにきれいな猫なのにね。四本の足は白で、からだの毛はとても珍しい色をしているじゃない」灰色や黒に混じる赤褐色や黄銅色のかすかな帯をヘレンは指先で辿《たど》った。

トリスタンは笑った。「思うにこの猫の祖先の一匹に赤毛の雄猫がいたんじゃないですか」

ヘレンもにこりとしたが、なにかべつのことを考えているような顔だった。案の定、せかせかと物置部屋のほうへ出て行き、空箱を持って戻ってきた。

「そうよ……そうだわ……」彼女は思案顔で言った。「この箱で寝床を作ってあげて、わたしたちの寝室に寝かせるのはどうかしら、ジム？」

「寝室に？」

「そう、暖かくしてあげないといけないでしょう？」

「それはそうだ、特にこういう寒い晩はね」

その日の夜、私はベッドに横たわりながら微笑ましい光景を目にした。ちろちろ燃える暖炉の片側ではビーグル犬のサムがバスケットに入ってまるくなり、その反対側ではクッションと毛布を敷いた箱に猫が眠るという光景だ。

うつらうつらと眠りに陥りながら私は考えた、患者がとても気持ちよさそうにしているのはすばらしいことだが、果たして明日の朝まで生きているだろうか、と。

午前七時半に猫が生きているのを私は知った。と言うのも妻が先に起きて、猫に話

しかけていたからだ。私はパジャマのまま寝ぼけ眼で歩いて行き、猫と目を合わせた。顎の下を撫でてやると、猫は口を開け、しゃがれ声でニャーオと啼《な》いた。しかし動き出そうとはしなかった。

「ヘレン」と私は言った。「この猫はおなかの中を腸線《カットグート》で縫い合わされているんだ。一週間ほど飲みものだけしかやれないし、うまく飲んだとしても快復しないかも知れない。猫をずっとここに置いておくとすれば、一日に何十回とスプーンでミルクをあげるのはきみの仕事になるよ」

「わかったわ。いいわよ」ヘレンは例の、なにかべつのことを考えているような表情をその時も浮かべていた。

それからの二、三日、彼女が猫にスプー

ンで与えたのはミルクだけではなかった。牛肉エキス、裏ごしの野菜スープ、よくできた種々のベビーフードなどが一定間隔で猫の喉を通過した。ある日の昼時、私が部屋へ入って行くと、ヘレンが箱のそばに跪《ひざまず》いているところだった。

「この猫の名前はオスカーにしたわ」と彼女が言った。

「つまりその猫を飼うつもりなの？」

「そうよ」

私は猫好きだが、わがむさ苦しい居住区にはすでに犬がいたので、いろいろ厄介なことが起こるだろうと予想された。それでも成り行きに任せてみようと私は思った。

「なぜオスカーなの？」

「わからない」ヘレンは肉汁を二、三滴小さな赤い舌に載せてやり、それが呑み込まれるようすをじっと見守った。

女性について私が好きな点のひとつは神秘性というか、どこか測り難いところがある部分で、オスカーという名前についてはそれ以上追及しなかった。しかし事態の展開に不満はなかった。私は六時間ごとにスルファピリジンを与え、朝晩体温を計るたびに高熱が出ているのではないかと思い、腹膜炎ゆえの嘔吐《おうと》や腹部膨張が見られないかと心配したのだが、なにごとも起こらなかった。

オスカーは来る日も来る日もまったく動かずに横たわり、ただ私たちを見上げて喉を鳴らすだけだった。あたかも動物的本能ができるだけ動かないようにと命じているかのようだった。

猫が喉を鳴らす音は私たちの生活の一部になり、やがて勝利の瞬間が訪れた。オスカーがついに寝床を離れ、ぶらぶらとキッチンまでやってきて、肉とビスケットからなるサムの食事を味見しはじめたのだ。固形食が取れるようになったのかどうかを心配して、オスカーを引き留めたりはしなかった。猫自身がわかっているように思えたからだ。

それから後、毛深い案山子《かかし》が徐々に肉をつけ、元気になって行くさまを眺めるのが私たちの無上の楽しみとなった。食欲が旺盛《おうせい》になり、からだ全体にまるみがついてくると、オスカー本来の毛並みの美しさが輝きを増しはじめた。琥珀色《こはくいろ》と黒と金色が織りなすつややかな毛並みだった。私たちはハンサムな猫の飼い主となったわけだ。

オスカーがいったん快復すると、トリスタンはわが居住区への定期的訪問者となった。オスカーの命を救おうと最初に言い出したのは自分だという自負が彼にはあったようだが、それはまさにその通りだった。彼は猫と遊び出すとなかなかやめなかった。彼の大好きな策略はテーブルの隅から足を突き出し、猫がじゃれつこうとする瞬間に引っ込めるという動作を繰り返しやることだった。

　このじらし戦法にオスカーは当然いらいらしたけれども、ある晩いかにもこの猫らしいことをやってのけた。寝そべってトリスタンが来るのを待ち受け、彼がいつもの策略を開始する前に素早く彼の踝《くるぶし》に咬《か》みついたのだ。

　私の目から見ると、オスカーはわが家にたくさんのことをもたらした。サムはオスカーがすっかり気に入り、すぐにこの犬と猫は大の仲よしになった。ヘレンはオスカーに首ったけとなり、私もまた暖炉のそばで顔を洗うすばらしい猫がいると部屋が一段と心地よくなるものだと毎晩改めて思うのだった。

＊

　オスカーは数週間すっかり家族の一員として収まっていたが、ある晩遅い往診から私が戻ると、ヘレンがひきつった顔をして待っていた。

「どうしたんだ？」と私は訊いた。

「オスカーが――オスカーがいなくなったの！」

「いなくなった？　どういう意味だ？」

「わかるでしょう、ジム、逃げたんだと思うわ」

私はヘレンをまじまじと見つめた。「あいつに限ってそんなことはしないよ。よく夜間に庭へ出ていることがあるだろう。庭にいないのを確かめたの？」

「もちろんよ。裏も表も調べたわ。町中を歩き回ってもみたの。それに、そもそもオスカーは、ほら……前にどこかから逃げてきたわけでしょう」ヘレンは顎を震わせていた。

私は腕時計を見た。「十時か。確かにおかしいな。こんな時間に外へ出ているべきじゃない」

私がしゃべっていると、玄関のドアベルが鳴った。階段を駆け下りて、廊下の角を曲がると、ガラス越しに教区牧師の妻ヘズリントン夫人の姿が見えた。私は急いでドアを開けた。ヘズリントン夫人はオスカーを腕に抱いて立っていた。

「これはお宅の猫じゃないかしら、ヘリオット先生」と彼女は言った。

「まさにその通りです、ヘズリントンさん。どこで見つけたんです？」

彼女はにこりとした。「それがちょっとおかしな話なんです。教会付属の家《チャーチハウス》で母親の会（英国国教会が一九二六年に結成）の集まりがあったんですけど、ふと気がつくと、この猫が部屋に坐っていたんです」

「坐っていた……？」

「ええ、まるでわたしたちの話を聞いて、楽しんでいるみたいだったんです。変わった猫ですね。集まりの後、猫をこちらへ届けたほうがいいと思いまして……」

「ほんとうにありがとうございます、ヘズリントンさん」私はオスカーを受け取り、片腕で抱えた。「この猫がいなくなってしまったものと思って、私の妻はすっかりうろたえていたんです」

この出来事はちょっとしたミステリーだった。オスカーはなぜあんなふうに突然家出をしたのだろうか？　しかし、その後一週間ほどオスカーの態度になんの変化も見られなかったので、私たちは気にかけなくなった。

ところが、ある晩、予防接種のために犬を連れてきたひとがいて、玄関ドアを開け放しにしたのだった。仕事を終えて私が居住区へと上がって行くと、またしてもオスカーが姿を消していることがわかった。今回はヘレンと私のふたりがかりで市場や路地を捜し回ったが、見つからなかった。九時半に家に戻った時、ふたりともすっかり意気消沈していた。その後十一時ごろになって、そろそろ寝ようかと思いはじめていると、玄関のドアベルが鳴った。

今回はジャック・ニューボウルドの太鼓腹に乗って、オスカーがまた帰ってきた。ジャックは玄関の柱に寄りかかっていて、暗い通りから漂い込んできた新鮮ないなかの空気にはビールの匂いがたっぷり滲《し》み込《こ》んでいた。

　ジャックはある大きな家の庭師だった。彼は軽くしゃっくりをしながら、好意に満ち溢れたにこやかな笑顔を私に向けた。「お宅の猫を連れてきたよ、ヘリオット先生」

「ありがたい、感謝感激だ、ジャック！」私は好意を身に染みて感じながらオスカーを受け取った。「いったいこいつをどこで見つけたの？」

「まあ、猫のほうがおれを見つけたようなもんなんだ、実際のところはね」

「どういう意味だい？」

　ジャックは舌がもつれないようにしばらく目をつぶってから慎重に言った。「先生も知ってんだろうけど、今夜はお祭り騒ぎがあってね。ダーツ選手権さ。《ドッグ・アンド・ガン》に若い連中がわんさか集まったんだ――ものすごい数だった。大変な賑《にぎ》わいだったよ」

「で、うちの猫もそこにいたの？」

「ああ、ちゃんと来てたよ。若い連中に交じって坐ってね、いままでずっとおれたちと過ごしてたんだ」

「ただ坐ってたって言うの？」

「そう、ただ坐ってた」ジャックは思い出してくすくす笑った。「こいつときたら、すっかり楽しんでいたね。おれは自分のグラスから極上のビターを一滴飲ませてやった。ダーツだってやりかねないようすだったんだ。ほんとうにやるんじゃないかとおれは何度か思ったもんさ。なかなかの猫だね、こいつは」彼はまたくすくす笑った。

オスカーを抱えて階段を上がりながら私は深く考え込んでいた。これはいったいどうなっているのだろうか？　こういう突然の失踪《しっそう》でヘレンはかなり動揺しているし、そのうち私まで心配でたまらなくなるような気がした。

三度目の失踪は時を措かずに発生した。三日後の夜、オスカーはまたいなくなった。今度はもう、ヘレンも私もわざわざ捜しに行こうとはしなかった。ただひたすら待っていた。

オスカーの帰還はこれまでよりやや早めだった。玄関のドアベルが鳴る音を私が聞いたのは午後九時だった。ガラス越しに中を窺っていたのは年輩のミス・シンプソンだった。オスカーは彼女に抱かれてもいなかった――玄関マットの上でうろうろしながら、中へ入る機会を待っていた。

ミス・シンプソンの興味深そうな視線に見送られながら、猫は忍び足で家の中に入り、階段を上って行った。「ああ、これで安心しましたわ。あの猫ちゃんがぶじにおうちへ帰れてほっとしました。お宅の猫ちゃんだとわかっていましたの。あのこの振る舞いが面白くて、夕方からいままでずっと見ていたんです」

「それはそれは……で、どこに？」

「婦人会館にいましたの。婦人会が始まって間もなく猫ちゃんが入ってきたんです。会が終わるまでいたんですのよ」

「ほんとうですか？　今夜はどんなプログラムだったんです、ミス・シンプソン？」

「そうですね、最初にちょっと委員会関係のことがあり、それから船会社のウォルターズさんが幻灯を使って短いお話をしてくださり、最後にケーキ作りコンテストがありましたの」

「ほう……なるほど……それでオスカーはどうしていたんです？」

彼女は笑った。「みなさんといっしょになって、どう見ても幻灯を楽しんでいるようでしたし、ケーキにとても興味を示していましたわ」

「そうですか。その後であれをわが家へ連れてきてくださったんですね」

「いいえ、猫ちゃんは自分でここまで歩いてきましたの。ご存じのようにわたしはお宅の前を通らないといけませんので、猫ちゃんがお帰りになったのをお知らせしようと、ちょっとベルを鳴らしただけなんですのよ」

「ほんとうにありがとうございました、ミス・シンプソン。うちではちょっと心配していたんです」

私は記録的なスピードで階段を駆け上った。部屋へ飛び込むと、猫を膝に乗せて坐っていたヘレンが顔を上げた。

「オスカーのことがようやくわかったぞ」と私は言った。

「なにがわかったの？」

「なぜこうして夜の外出をやるかってこと。逃げ出しているわけではないんだ——訪問しているんだよ」

「訪問？」

「そう」と私は言った。「わかるだろう。あちこち出かけて行くのが好きだし、人間が好きなんだ。特に集団の人間がね。大勢のひとがやっていることに興味があるのさ。ひと付き合いが生まれつきうまいんだ」

「確かにね……その通りだわ……社交家なのね！」ヘレンは膝の上でまるくなった魅力的な毛のかたまりを見下ろした。

「まさに放蕩《ほうとう》息子だ！」

「プレイボーイね！」

私たちがこうして無邪気に笑っていると、オスカーはからだを起こして坐り、見る

からに楽しそうに私たちを見た。その場の陽気な雰囲気を盛り上げるかのように喉をしきりに鳴らすのだった。しかしヘレンと私は心の奥でほんとうにほっとしていたのだった。オスカーが遠出をしはじめてからというもの、猫がいなくなってしまうのではないかと絶えず心配でならなかったのだが、いまはもう大丈夫だという気持ちだった。

その晩からオスカーを眺める楽しみが増えた。この猫の社交好きという性格の一面が発揮されるのを見守る面白さは無尽蔵だった。町の行事の大半を嗅ぎつけ、几帳面に顔を出しに行くのだ。ホイスト・ドライヴ（トランプのホイストを何人かで相手を変えながらする集まり）や慈善バザーや学校のコンサートやスカウト・バザー（ボーイスカウト、ガールスカウト主催のバザー）でなじみの顔になった。たいていの場合、オスカーは歓迎を受けたけれども、郡評議会の会議からは二度拒絶された。郡評議会としては審議の場に猫が坐っているという光景を好まなかったようだ。

最初、賑やかな通りを歩いて行って大丈夫だろうかと心配だったが、二、三度観察してみた結果、猫は左右をよく見てから優美に通りを横切って行くことがわかった。明らかにすばらしい交通感覚を身につけているようなので、最初のあの大怪我は車に撥《は》ねられたものでないのかも知れないと私は思った。

オスカーがわが家にやってきたのは一種の僥倖《ぎょうこう》だったと、ヘレンと私はもろもろのことを考え合わせながら感じていた。この猫はわが家庭生活の心暖まる大切な一部となり、私たちをいっそう幸福にしてくれたのだった。

＊

衝撃はまったく思いがけない時に襲ってきた。

私は午前の診療を終えようかとしていた。ドアのほうを振り向くと、大人ひとりと小さな男の子ふたりだけが見えた。

「つぎ、どうぞ」と私は言った。

男が立ち上がった。動物はなにも連れてきていなかった。中年の男で、農場労働者らしく雨風に晒《さら》されて荒れた顔をしていた。彼は緊張気味に布製帽子を両手でくるりと回した。

「ヘリオット先生ですね？」と彼は言った。

「ええ、どうしました？」

彼は唾《つば》を呑み込み、私の目をじっと見据えた。「わっしの猫がお宅にいるんじゃないですかね？」

「え？」

「わっしはしばらく前に猫に逃げられたんです」彼は喉の痰《たん》を払った。「わっしは以前ミスドンに住んでいたんですが、ウェダリーのホーンさんのところで農夫の仕事口を見つけましてね、ウェダリーへ引っ越したんです。猫がいなくなったのはその後なんです。猫のやつは昔の家に戻ろうとしたんじゃないかとわっしは思うんですがね」

「ウェダリーだって？　ブロートンの向こうの？――あそこまでは三十マイル以上あるね」

「ありますよ、わっしだって知ってますよ。しかし猫ってのは変な生きものだからね」

「でも、どうしてその猫がうちにいると思うんです？」

男はまた帽子を少し捻《ひね》り回した。「わっしの従兄弟《いとこ》がダロウビーに住んでいましてね、その従兄弟から電話があって、あちこちの集会に出歩く猫の話を聞いたんですよ。

これはどうしても来てみる必要があると思ったんです。これまでずっと四方八方捜し回っていたもんでね」

「ひとつ聞きたいんですが」と私は言った。「お宅からいなくなったという猫はどんな猫だったんです?」

「灰色と黒にちょっと黄色っぽい毛が混じっていましたね。がりがりに痩せてましたよ。あれはいつも集会に出かけていたんです」

衝撃のあまり私の心臓は止まりそうになった。「いっしょに上の階へ行きましょう。息子さんたちも連れてきてください」

わが小さな居間兼寝室ではヘレンがテーブルに昼食を並べているところだった。

「ヘレン」と私は言った。「こちらは、ええと——すみません、名前をまだ聞いていなかったですね」

「ギボンズです、セップ・ギボンズ。七番目の子供だったもんでセプティマスと名づけられたんですが、どうやらわっしも同じ道を歩みそうですよ。わっしの子供はもう六人いるんです。この子らは一番小さいふたりでしてね」明らかに双子とわかる八歳くらいのふたりの男の子は真剣な目つきで大人たちを見上げた。

私は心臓のドキドキが止んでくれればいいと願った。「ギボンズさんはオスカーが自分の猫じゃないかっておっしゃるんだ。しばらく前に猫に逃げられたそうでね」

「えっ！……ああ……そうですか」彼女は皿をテーブルに置いて、一瞬硬直したように立ちすくんだ。やがてかすかに笑みを浮かべた。「どうぞお掛けください。オスカーはキッチンにいるんです。すぐ連れてきます」

ヘレンはいったん姿を消し、腕に猫を抱いてまた現れた。彼女が戸口を抜けないうちに、男の子たちが騒ぎ出した。

「タイガーだ！」とふたりは叫んだ。「わーい、タイガーだ、タイガーだ！」

男の顔もパッと明るくなったように見えた。いそいそと猫に近づき、労働で荒れた手で毛を撫でた。

「やあ、タイガー」と彼は言って、にこやかに笑いながら私のほうを振り向いた。「間違いありません、ヘリオット先生。確かにうちの猫です。それにしてもよく太ったもんですね！」

「タイガーって呼んでたんですか」と私は言った。

「そうです」と男はうれしそうに答えた。「黄色っぽい筋があるもんでね、子供らがそういう名前にしたんですよ。こいつがいなくなった時、子供らはほんとうにがっかりしましてね」

ふたりの子供が床を転げ回ると、オスカーもいっしょに転げ回り、わざと爪を立てたり、楽しそうに喉を鳴らしたりした。

セップ・ギボンズは椅子に腰掛けた。「あの猫はいつも家族とあんなふうにやってたんですよ。子供らはタイガーと何時間でも遊んでたもんです。だからあれがいなくなってほんとうに寂しがりましてね。心底かわいがってたんですよ」

私は帽子をつかんでいる手の割れた爪と律義で正直で素朴そうな顔を見た。私が好意と敬意を寄せているたくさんのヨークシャー人と同じ手や顔だ。彼のような農場労働者は当時週三十シリングしかもらえなかった。薄給は擦り切れたジャケットやひび割れていてもつやのあるブーツやお下がりとしか見えない子供たちの服に反映されていた。

しかし三人とも清潔で身ぎれいだった。男の顔は日に焼けて赤く、子供たちの膝小僧もてかてか輝き、髪は額からきちんと撫でつけられていた。私の目に彼らは感じのいい家族と映った。

私は窓のほうを向き、雑然と連なる家並みの屋根の彼方に見える、わが愛する緑の丘陵地を見やった。私はなにを言っていいかわからなかった。

ヘレンが私の代弁をしてくれた。「それでしたら、ギボンズさん、この猫はお宅へ連れ帰ったほうがいいですね」その口調は不自然に明るかった。

男はためらった。「でも、ほんとうにいいんですか、奥さん？」

「ええ……いいんです、かまいません。最初はお宅の猫だったんですから」

「それはまあ、そうですが、見つけ主は飼い主とかなんとか世間では言ってますからね。それにわっしは猫を返してくれなんてことを言いにここへ来たんじゃないんです」

「それはわかっています、ギボンズさん。でもお宅はこの猫をずいぶんと長く飼っていたようですし、それにとても一生懸命捜していたんでしょう。お宅からこの猫を取ってしまうわけにはいきませんよ」

男は小さく頷いた。「それならありがたく頂いて帰ります」彼は一瞬真剣な顔になって口を噤《つぐ》み、それから腰を屈めてオスカーを抱き上げた。「ブロートンで八時のバスに乗るとすると、そろそろお暇《いとま》しないといけません」

ヘレンは手を伸ばして猫の顔を両手で包み、しばらくじっと目を見つめた。やがて子供たちの頭を軽く叩いて言った。「この猫の世話をちゃんとしてちょうだいね」

「はい、奥さん、ありがとうございました。ちゃんと世話します」ふたつの小さな顔はヘレンを見上げて、にこりとした。

「下までお見送りしましょう、ギボンズさん」と私は言った。

階段を下りながら私は男の肩に乗った猫の毛深い頬をくすぐり、声量豊かな喉鳴りを聞きおさめた。玄関のステップで握手を交わすと、彼らは通りへ出て行った。トレンゲイトの交差点で彼らは足を止め、手を振った。父親とそのふたりの子供、そして肩の上でこちらを見ている猫の顔に向かって私も手を振って応えた。

私はそのころの癖で階段を一度に二、三段ずつ駆け上がっていたのだが、その時ばかりは老人のようにのろのろと少し息切れしながら上って行った。喉が息苦しく、目はヒリヒリしていた。

感傷的なおばかさんだと自分を呪ったが、居住区のドアを開けながらかすかな慰めを見出した。ヘレンが事態をたいそう落ち着いて処理してくれたからだ。あの猫の看病をしたのはヘレンで、目に入れても痛くないほどかわいがっていたから、こういう予見できない災厄に遭ってひどく動揺するのではないかと私は思っていたのだ。ところが、予想に反して彼女は冷静に理性的に振る舞った。女性のことはほんとうによくわからないが、ともあれ私にはありがたかった。

仕上げがうまく運ぶかどうかは私しだいだった。そこで表情をなんとか調節して、陽気そうに見える笑みを浮かべながら部屋へ入って行った。

ヘレンは椅子をテーブルに引き寄せ、片手で頭を抱えて突っ伏し、もう一方の手を前方へ投げ出したまま、からだを震わせて泣いていた。なりふりかまわぬ泣き方だった。

ヘレンのこういう姿をこれまで見たことがなく、私は青ざめた。なにか慰めの言葉をかけようとしたが、激しい嗚咽《おえつ》の流れはどうにもせき止めようがなかった。なすすべもなく呆然と私はただ彼女の間近に坐って、後頭部を撫でてやるだけだった。たぶんなにか言おうと思えば言えたのだろうが、あいにく私のほうもなりふりかまわず泣きたい気分だったのだ。

＊

こういうことは時間が経てば癒《いや》される。結局のところオスカーは死んだわけでも、再び失踪したわけでもない。世話をしてくれる善良な家族のもとへ引き取られたのだ。というよりも、実際のところ猫は家へ帰っただけなのだ――私たちはそう自分に言い聞かせた。

それに、言うまでもないことながら私たちにはまだ愛犬のサムがいた。もっとものサムも最初のうちはオスカーの寝床があったあたりを寂しげに嗅ぎ回ったり、長い悲しげな溜め息をつきながら敷物にぐったりと寝そべったりして、私たちの慰めにならなかったけれども。

ほかにもうひとつあった。私はささやかな計画を心の中で育《はぐく》んでいた。機が熟したらそれをヘレンに打ち明けてみようと思っていた。あの衝撃の一日から一カ月ほど過ぎたころにその時はやってきた。半日診療の日のいつもの楽しみでブロートンへ行き、映画館から出てきたところで、私は腕時計に目をやった。

「まだ八時だね」と私は言った。「オスカーに会いに行ってみるのはどう？」

ヘレンは驚いて私を見た。「それはつまり――ウェダリーまでドライヴするってこと？」

「そう、ほんの五マイルほどの距離だからね」

彼女の顔に徐々にうれしそうな笑みが広がった。「面白そうね。でもあちらにご迷惑じゃないかしら」

「ギボンズさんに？　いや、そんなことはないと思うよ。行ってみよう」

ウェダリーは大きな村で、農夫の小さな家は村外れのメソディスト教会から二、三ヤード先にあった。庭のゲートを押し開け、私たちは小道を進んで行った。

忙しそうな小柄な女が私のノックに応えた。彼女は縞模様のタオルで両手を拭いて

JUMBLE
SALE
DAY
HALL

いた。

「ギボンズさんの奥さんですね？」と私は言った。

「ええ、そうですけど」

「私はジェイムズ・ヘリオットです——こちらは妻です」

彼女はよくわからないというように目をまるくした。明らかに私の名前になんの覚えもないのだ。

「私たちはお宅の猫をしばらく飼っていたんです」と私は付け加えた。

突然彼女はにやりとするとタオルを振ってみせた。「ああ、そうですか、思い出しましたよ。あんたがたの話はセップから聞いてます。さあどうぞ、中へどうぞ！」

大きなキッチン兼居間は六人の子供と週三十シリングの生活の見本だった。壊れかけた家具、途轍《とてつ》もなく真っ黒になった料理用レンジの上に何列も並ぶ継ぎ当てだらけの洗濯物、全体としての雑然とした雰囲気。

セップは暖炉わきの自分の席から立ち上がり、新聞を置いて、鉄縁の眼鏡《めがね》を外し、握手した。

彼はヘレンに座面がひどくへこんだ肘掛け椅子を勧めた。「ほんとうによく来てくれましたね。わっしはしょっちゅう女房にあんたがたのことを話していたんですよ」

「そうなんです」と彼の女房がタオルを掛けながら言った。「ほんとうによく来てくれました。すぐにお茶を淹《い》れますから」

彼女は笑って、泥んこの水の入ったバケツを隅のほうへ引きずって行った。「サッカー用のジャージを洗っていたところなんです。夕方、子供たちに渡されましてね――わたしが暇を持て余してるとでも思ってるみたいなんです」

彼女が水道の水をやかんに入れる間、私はこっそりとあたりを見回した。気がつくと、ヘレンも同じことをやっていた。しかし捜しても見つからなかった。猫の気配はどこにもなかった。まさかまたしても逃げ出してしまったというわけではないだろう。困惑した気分を募らせながら、どうやら私のささやかな計画は無残な失敗に終わるかも知れないということに気づいた。

思い切って本題を切り出したのは、ようやくお茶が入って、注いでもらった時だった。

「ところで、あの――」私はおずおずと訊いた。「猫は、タイガーはどうしてます？」

「ああ、あれは元気いっぱいです」小柄な奥さんが歯切れよく答えた。彼女はマントルピースの上の時計にちらりと目をやった。「もうすぐ帰ってくるころですよ。帰ればここへ寄ってくるでしょう」

奥さんがしゃべり終わらないうちに、セップが指を立てた。「どうやら足音が聞こえてきたようだな」

彼は立ち上がってドアを開けに行った。するとわれらがオスカーが相変わらず優雅に堂々と中へ入ってきた。猫はヘレンを一目見ると、すぐにその膝に跳び乗った。彼女は喜びの歓声を上げて紅茶カップを置くと、美しい毛並みを撫ではじめた。すると猫はそれに応えて背中を弓なりにし、からだを彼女の掌に押しつけ、なつかしい喉鳴らしの音を部屋中に響かせた。

「覚えていたのね」とヘレンは呟いた。「覚えていたのね」

セップは頷いて、にこりとした。「忘れるはずがありませんよ。親切にしてもらったんですからね。いつまでも覚えていますよ。わっしたちも同じです。そうだろう、母さん？」

「ええ、ええ、忘れるもんですか」農夫の奥さんはジンジャーブレッド（ショウガ入りクッキー）にバターを塗りながら言った。「この猫の救い主ですからね。ほんとうにありがとうございました。近くへお出での時はいつでも寄ってくださいよ」

「それはどうもありがとう」と私は言った。「喜んでそうさせてもらいますよ――ブロートンにはよく来るんです」

私は近寄ってオスカーの顎をくすぐった。それからもう一度ギボンズ夫人を見て言った。「ところで、いまは九時すぎですが、いままでこの猫はどこへ行ってたんです？」

彼女はバターナイフを持った手を止めて、じっと虚空《こくう》に見入った。

「ちょっと待ってくださいよ」と彼女は言った。「今日は木曜でしたね。ああ、わかりました。今夜はヨガ教室があったんです」

3 ボリス——逃げ足が速い猫

「猫の世話がわたしの仕事なんです」

　初めての往診の時、ボンド夫人は私の手をしっかりと握り、挑戦的に顎《あご》を突き出しながら、そう言って自己紹介した。猫のことならだれにも負けないと言いたそうな顔つきだった。頬骨《ほおぼね》が張ってきつい感じの顔をした大きな女で、いかにも存在感があった。いずれにせよ私は彼女と言い争ったりしたくなかったので、すべてわかっていますよ、おっしゃるとおりですと言葉に出す代わりに真剣な表情で頷き、家の中へと案内してもらった。

　するとすぐに彼女が言った言葉の意味が了解された。大きなキッチン兼居間は完全に猫たちに占領されていた。ソファも椅子も猫だらけで、床まで足の踏み場もないほどだった。おまけに窓の敷居という敷居にずらりと猫が並び、猫の大群に埋もれるようにして、チョビ髭《ひげ》を生やした青白い顔の小柄なボンド氏がシャツ姿で新聞を読んでいた。

これがやがて私が慣れ親しむことになる光景の初体験だった。猫の大半は明らかに去勢されていない雄猫だった。というのも雄猫特有の匂いであたりがむせかえるようだったからだ。鼻にツンと来る匂いで、ガスレンジの上の大きなシチュー鍋の中で煮え立っている得体の知れないキャットフードの胸のむかつくような臭気すら圧倒していた。この光景にはボンド氏がいつも同じ場所にいつもシャツ姿で新聞を読みながら収まっていた。猫の海の中の孤独な小島という感じだった。

ボンド夫妻のことはもちろん耳にしていた。ロンドンのひとたちなのだが、よくわからない理由から引退後の生活の地として北ヨークシャーを選んだのだった。噂《うわさ》ではちょっとばかり「小金」を持っていて、ダロウビー郊外の古い家を買い、猫以外にあまり近所付き合いをしないで暮らしていた。迷い猫を呼び込んでは餌《えさ》をやり、猫が望むなら棲み家も提供するというボンド夫人の癖も私の耳に達していて、そのため私は会う前から彼女に好意を抱いていた。と言うのも、私の経験では、不運な猫たちはだれからも顧《かえり》みられないばかりか、あらゆる種類の残虐行為の格好の餌食《えじき》となっている

からだった。銃で撃ったり、ものを投げつけたり、餓死させたり、面白半分に犬をけしかけたりするのだ。だれかが迷い猫の味方になっているという話は聞くだけでもうれしいものだった。

最初の往診の時の患者はからだこそ大きくても子猫にすぎなかった。白と黒のぶち猫が恐怖に戦《おのの》いて隅に蹲《うずくま》っていた。

「あのこは外猫の一匹なんです」とボンド夫人は鳴り響くような声で言った。

「外猫？」

「ええ。ここにいるほかの猫はみんな内猫でしてね。外猫はほんものの山猫で、絶対に家の中に入ろうとしないんですよ。もちろん餌はあげているんですが、外猫が家の中へ入るのは病気の時だけなんです」

「なるほど」

「あの猫を捕まえるには大変な思いをしました。あのこの目が心配なんです。目に皮がかぶさってきているようなんです。先生ならなんとかしてくださるのではないかと思いまして、それでお願いしたんです。ところであのこの名前はジョージというんです」

「ジョージですか。ははあ、なるほど」私は未成熟な小動物のほうへ慎重に接近した。子猫は盛んに爪を立てて私を引っ搔こうとし、口を大きく開けて威嚇《いかく》した。幸い隅に追い込まれていたので逃げられなかったが、そうでなければ目にも留まらぬ速さで逃げ去っていただろう。

診察は厄介なことになりそうだった。私はボンド夫人を見た。「なにかシーツのようなものを貸してもらえますか。古いアイロン用のシーツなどで結構です。シーツでこの猫を包まないとうまくいかないようです」

「包むんですか?」ボンド夫人はひどく疑わしげな顔をしたが、別室へ姿を消し、ぼろぼろながらなんとか使えそうな木綿のシーツを持って戻ってきた。

私は猫の餌皿、猫の本、猫の薬など、驚くほどいろいろなものが載っているテーブルを片づけ、シーツを広げると、もう一度患者へ接近した。こういう場合、決して焦ってはならない。よし、よし、いいこだ、いいこだと、五分ほどかけてなだめすかし、その間に片手を徐々に近づける。頬が撫でられるくらいに近づくと、素早く首筋をつかむ。こうしてようやくジョージを持ち上げると、激しく抵抗して四つ足でもがくのもかまわず、テーブルへと運んだ。それから、まだ首筋をしっかりとつかんだまま猫をシーツの上に置き、包み込み作戦に取りかかった。

これは手に負えない猫にごく頻繁《ひんぱん》に用いられる手法で、実を言うと私はこれがかなり得意なのだ。目的は猫の必要な部位だけを出して、残りをきっちりと包んでしまうことにある。必要な部位は傷ついた足のこともあれば、尻尾のこともあり、今回の場合はむろん頭部だ。思うにボンド夫人が私に文句なしの信頼を寄せるようになったのは、私があの猫を手早く包み込むのを見た時からだったような気がする。布に包み込まれた猫は白と黒の小さな頭だけを突き出して身動きできなくなった。猫と私はいまや面と向かって目と目とを合わせたが、ジョージはいまや手も足も出なかった。

このささやかな特技は内心私の誇りなのだ。「ヘリオット君には多くの点で能力の限界があるが、猫を包み込むことだけは人一倍うまい」と同業の獣医たちが昔言っていたことが今でも知られている。

診察の結果、目にかぶさるように生えてきた皮などはなかった。ありうるはずもないのだ。

「瞬膜《しゅんまく》麻痺を患っているんですよ、ボンドさん。動物には瞬間的に目を覆って保護するこういう第三の瞼《まぶた》があるんです。この猫の場合、瞬膜が戻らなくなっているんですね。おそらく体調不良のためでしょう――猫風邪《かぜ》を引いたか、あるいはなにかほかの原因で衰弱しているのかも知れません。ヴィタミン注射をして、粉薬を置いて行きますから、二、三日家の中に引き留めておけたら餌に混ぜてやってください。一、二週間で元気になると思いますよ」

シーツにくるまれたジョージは怒り狂ってもどうにもならず、注射は無事にすみ、ボンド宅への私の最初の往診も終わりとなった。

＊

それが何回もの往診の皮切りだった。夫人と私の間にはすぐさま信頼関係ができあがり、彼女のさまざまな要求にたいして私がいつも時間をたっぷり遣う覚悟をしているという事実によって、関係は強化された。外猫を捕まえるために物置小屋の薪の山の下へ這い込んだり、木の上の猫をなだめすかして呼び寄せたり、藪《やぶ》の中に分け入ってそろりそろりと忍び寄ったりするのに時間がかかったのだ。しかし私は私なりにこの仕事をいろいろな点で楽しんでいた。

例えばボンド夫人が猫につけた多種多彩な名前があった。いかにもロンドン育ちらしく彼女は雄猫の大半に偉大なアーセナル・チーム（ロンドンのサッカークラブ）の当時の選手たちにちなんだ名前をつけていた。エディ・ハップグッドもいれば、クリフ・バスティンもいたし、テッド・ドレイクやウィルフ・コッピングもいた。ただ、さすがの彼女も一件だけ名づけに失敗した。雄猫のつもりでアレックス・ジェイムズと名づけた猫が年に三回時期を間違うことなく几帳面に子猫を産んだからだ。

彼女が猫を家の中へ呼び込むやりかたも面白かった。私が初めてその実演を見たのはまだ夏の夕方だった。彼女が呼び込もうとした二匹の猫は庭のどこかにいた。私もいっしょに裏口まで行くと、彼女はそこで立ち止まり、両腕を胸に組んで目を閉じ、流麗なコントラルトの声で叫んだ。

「ベイツ、ベイツ、ベイツ、ベエーイツ」最初はお祈りでもするような一本調子で、そして最後の「ベエーイツ」というところだけちょっとした楽しそうな節回しを加えて、彼女の声はまさに歌声となって出てきた。それからもう一度オペラ歌手のように大きな胸郭の中へ息を吸い込むと、絶妙な感覚で歌声を発した。

「ベイツ、ベイツ、ベイツ、ベエーイツ」

ともあれこの歌声は効き目があり、ベイツという名の猫が月桂樹の木立の蔭から出てきた。もう一匹の患者が残っていて、私は興味津々の思いでボンド夫人を見守った。彼女は同じ姿勢を取り、息を吸い込み、目を閉じて表情を魅力的に整え、軽く笑みを浮かべると、もう一度歌いはじめた。

「セヴンタイムズスリー、セヴンタイムズスリー、セヴンタイムズスリー、セヴンタイムズスリイーイ」最後は例の甘美な抑揚をつけてベイツの時と同じ節回しになっていた。もっとも今回はすぐに応答をえられず、再三歌わなければならなかった。妙なる調べが静かな夕方の空気の中に漂うと、その音響効果はイスラム教礼拝堂の勤行時報係が信者に送る祈りの合図に驚くほど似ていた。

ついに彼女の歌は功を奏し、太った三毛猫が申し訳なさそうにこそこそと家の中に入ってきた。

「ところで、ボンドさん」と私はなにげない声を装って訊いた。「二匹目の猫の名前がよく聞き取れなかったんですが」

「ああ、セヴンタイムズスリー（三×七の意味）ですか？」彼女は思い出してにこりとした。「あのこはなかなかもてる猫でしてね。続けて七回三匹の子猫を産んだんです。それでセヴンタイムズスリーがあのこにぴったりの名前だと思ったんですよ。いかがです？」

「いや、まったくぴったりです。すばらしい名前だ。実にすばらしい」

私がボンド夫人を好ましいひとだと思ったもうひとつの理由は、私の安全を彼女が気遣ってくれたことだ。動物所有者には稀《まれ》な特性であるがゆえに、私はそれをありがたいと思った。例えばある調教師など、競走馬の一頭が私を厩舎《きゅうしゃ》の仕切り部屋から外まで蹴り出した時、蹄《ひづめ》に怪我がなかったかどうかと心配そうに馬を調べたものだし、歯を剥《む》き出して怒り狂うシェパードに発育を阻害されたような小柄な老婦人は「この犬にやさしくしてやってくださいね。どうかこれを傷つけないでくださいーーこのこはとても神経質なんです」と言ったものだ。またある農場主は、私の寿命が確実に二年は縮まったと思えるほど骨の折れる牛の出産の後で、むっつりとして愚痴を言ったものだーー「うちの雌牛《めうし》をくたくたにして殺しちまうんじゃないかと思ったよ、若先生」

ボンド夫人は違っていた。彼女は猫に引っ掻かれないように大きな長手袋を用意して玄関で私を出迎えたものだった。だれかに気遣ってもらえるとわかると言い知れない安堵感を感じるものだ。ボンド家への往診は私の人生模様の一部になった。密やかに動き回る野生の目をした小さな生きものたち、すなわち外猫たちの中を掻き分けるように庭の小道を歩いて行き、儀式のように玄関で手袋を受け取り、熱気に溢れた雰囲気のキッチンへと入って行く。そこでは無秩序に動き回る毛むくじゃらの生きものたち、すなわち内猫たちの中に溺《おぼ》れるようにして、かろうじて見分けられる小柄なボンド氏が新聞を読んでいる。ボンド氏の猫にたいする態度はついに一度も確認できなかった。考えてみるとボンド氏はほとんどひとこともロをきかなかったのだ。しかし彼としては猫を受け入れるか、家を出て行くか、どちらかしかないという印象を私は受けた。

長手袋はたいそう役に立ち、時にはほんとうに天の賜物《たまもの》となった。ボリスの場合がその好例だ。ボリスは外猫の一員で、大きな青黒い猫だった。同時にいろいろな意味で私の嫌いな相手《ベート・ノワール》だった。この猫はきっと動物園から逃げてきたのに違いないと私はいつも密かに確信していた。私はあれほど伸びやかでくねくねした筋肉とひたむきな獰猛《どうもう》さを持った家猫を見たことがなかったからだ。ボリスの血にはどこかでピューマの血が混じっていたに違いない。

ボリスが現れた日は猫群棲地にとって悲しい一日だった。私はどんな動物でも嫌いになるのは難しいと常々思っている。私たちにいたずらを仕掛けてくる動物はたいてい恐怖に駆られてするものだ。しかしボリスは違っていた。悪意にこりかたまった暴れん坊で、頻繁に仲間に襲いかかる習性があり、そのため私の往診の回数が急増した。

ずたずたに裂けた耳を縫合したり、咬みつかれた四肢に包帯を巻いたりで大忙しとなったのだった。

かなり早い段階で私たちは力比べを一度やっていた。ボンド夫人からボリスに虫下しをやってほしいと頼まれ、私は小さな錠剤をピンセットでつまんで構えた。そこに至るまでにどうやって猫を捕まえたのかはよく覚えていない。ともかく猫をひっつかんで急いでテーブルへ運び、しっかりした素材のシーツでぐるぐる巻きにして、目にも留まらぬ早業で包み込み作戦を展開したのだった。それに要した時間はほんの二、三秒だったと思う。作業が完了すると、猫は憎しみのこもった大きなきらきらした目で私を見上げた。しかし私が錠剤を挟んだピンセットを口に押し込もうとすると、憎々しげにピンセットを歯でしっかりとくわえ、驚くべき力で爪を立ててシーツを内側から引き裂こうとしているのがわかった。すべてはほんの数秒のうちに終わった。脚を一本突き出すと、シーツをさらに引き裂いて私の手首に爪を伸ばし、思わず私が首筋をつかんだ手を緩めると、あっと言う間に長手袋の上から私の親指の腹に歯を食い込ませた。血の流れる手で砕けた錠剤を握ったまま私は取り残され、呆然《ぼうぜん》としてそこに立ち尽くし、引き裂かれて帯状の束のようになった包み込み用のシーツを眺めていた。それから以後ボリスは私の姿を見ることすら嫌い、私のほうも同じ気分になるのだった。

＊

しかしこれは澄み切った空にかかるふたつみっつの雲のひとひらにすぎなかった。私はボンド家への往診を楽しみつづけたし、同僚からちょっとばかりからかわれたことを別にすれば、人生は平穏な道筋を辿っていた。私がなぜ好き好んで夥《おびただ》しい数の猫を相手にそれほど膨大な時間を潰すのか、同僚たちにはどうしてもわからなかった。シーグフリードの場合、私のことを理解しなくてもべつに不思議はなかった。彼はいかなる種類であれ、およそペットというものを飼う人間を信用しなかったからだ。そういうひとたちの心情がさっぱりわからず、聞いてくれるひとがいればだれにでも自分の見解を表明していた。そのくせ自分でも犬五匹と猫二匹を飼っていた。五匹の犬はすべてどこへ行くにも彼の車に乗ってついて回った。犬と猫に毎日餌をやるのも彼自身だった。ほかのものには決して任せなかった。夜になると暖炉のそばの椅子に坐る彼の足元に七匹すべての動物たちが折り重なるように集まっていたものだ。今日でもまだ彼は相変わらずペット反対の意見を堅持しているが、運転する彼の車の中で新しい世代の犬たちがほとんど彼の姿を隠しかねないほどに尻尾を振っているし、猫も数匹飼っているほか、熱帯魚の水槽が二、三個あり、蛇も二匹いる。

トリスタンは一度だけ私がボンド家の猫を相手に仕事をしているところを目撃したことがあった。私が道具棚から長めのピンセットを何本か集めていた時、彼が部屋へ入ってきたのだ。

「ジム、なにか面白いことはない？」と彼は訊いた。

「いや、あまりないね。これからボンドさんのところの猫を診に行くところなんだ。骨が歯に挟まってしまったそうでね」

若者はちょっと考え込むようにして私を見た。「いっしょについて行こうかな。最近小動物関係をあまり診ていないから」

こうして私たちはいっしょにボンド夫人の猫施設へ赴き、庭を歩いて行ったのだが、その時私は一抹の困惑を覚えた。ボンド夫人との幸福な関係が築き上げられた理由のひとつは、彼女の預かりものにたいする私のやさしい気遣いだった。どんなに乱暴で気性の激しいものにたいしても私はただやさしさと根気と配慮だけを示した。それは必ずしも演技ではなく、私のごく自然な振る舞いだった。しかしながら、私のそういう患者扱いをトリスタンがどう思うだろうかと考えないわけにはいかなかったのだ。

ボンド夫人はすぐに事態を察知し、二組の長手袋を用意して玄関に現れた。トリスタンは手袋を受け取りながら少し驚いた表情を見せたが、独特な魅力のある笑顔で夫人に礼を言った。彼がさらにもっと驚きの表情を見せたのは、キッチンへ入って鼻につく濃い匂いを嗅ぎ、その場に所狭しと群がり占領している毛深い生きものたちの大群を見た時だ。

「ヘリオット先生、申し訳ありません。骨が歯に挟まったのはボリスなんです」とボンド夫人は言った。

「ボリスですって！」私はギクリとした。「いったいどうやってあれを捕まえればいいんです？」

「ご心配なく。わたしが知恵を絞って捕まえておきましたから」と彼女は答えた。「ボリスの大好きな食べものを使ってなんとか猫用バスケットへおびき入れたんです」

テーブルに大きな柳細工の檻が載っていて、トリスタンはそれを片手で触れた。「これがその猫なんですね？」彼はのんきな声で言い、鍵を外して蓋を開けた。それから三分の一秒ほどの間、中で身をまるめた生きものとトリスタンはじっと互いの目を見合ったが、すぐにつややかな黒いからだは音もなくバスケットから跳び出し、若者の左耳のそばを通過して高い食器戸棚の上に跳び乗った。

「びっくりしたな！」とトリスタンは言った。「いったいなんだ、あれは？」

「あれがボリスさ」と私は言った。「やれやれ、もういっぺんあいつを捕まえなければならないぞ」私は椅子に乗り、食器戸棚のてっぺんへそろそろと手を近づけながら、この上ない猫撫で声で「よしよし、いいこだ」となだめはじめた。

一分ほど経過した時、トリスタンはもっとうまい考えを思いついたと思ったらしい。突然跳び上がってボリスの尻尾をつかんだのだ。しかしそれもほんの束の間で、大きな猫はたちまちトリスタンの手から逃れ、部屋の中をつむじ風のように駆け回りはじめた。食器戸棚のてっぺんからべつの食器戸棚のてっぺんへ、さらには食器棚からカーテンへと、死にもの狂いでぐるぐるぐるぐると疾走した。

トリスタンは戦略上有利な地点で待ち構え、ボリスが疾風のごとく通過する瞬間、長手袋をはめた片手で捕まえようとした。

「逃げられたか、くそ!」彼はくやしそうに叫んだ。「おお、また来たぞ……今度こそ捕まえてやる、黒い悪魔め! しまった、取り逃がした!」

散乱する皿や缶や鍋さらにはトリスタンの叫び声や振り回す腕に驚き、今度はおとなしくかわいい内猫たちまでもが駆け回りはじめ、ボリスが蹴飛ばし損ねたあらゆるものをひっくり返すこととなった。この騒音と混乱はさすがにボンド氏にも達したようで、彼はほんの一瞬あたりを見回し、疾走する猫たちを見て穏やかな驚きの表情を

浮かべたが、すぐに新聞へ戻った。

トリスタンは本気で楽しみはじめた模様で、興奮のあまり顔を紅潮させながら追いかけつづけた。私が内心すくみあがっていると、彼は愉快そうに私に叫んだ。「そっちから追ってくれ、ジム。今度こそあの悪党を捕まえてやるから！」

ボリスはついに捕まらなかった。骨のかけらは自然に出てくるのを待つしかなくなった。つまり獣医としての往診は失敗に終わったのだった。しかしふたりで車へ戻って行く時、トリスタンは満足そうに笑った。

「あれは面白かったね、ジム。あんたが猫を相手にあんな楽しいことをしているとは知らなかったよ」

一方、ボンド夫人は私がつぎの機会に会った時、この大騒動の件でやや不機嫌だった。

「ヘリオット先生」と彼女は言った。「どうかあの若いかたは二度とここへお連れにならないでください」

4 オリーとジニー——うちに来た二匹の子猫

「あれを見て、ジム！　きっと迷い猫よ。前に見たことないわ」ヘレンがキッチンのシンクの前に立って皿を洗っていた手を休め、窓の外を指さしながら言った。

ハナリーでの私たちの新居は牧草地の斜面に立っていた。窓のすぐ外に胸の高さの低い擁壁があって、その向こうは芝生の斜面になっている。この斜面には擁壁から二十ヤードほど上ったところに藪《やぶ》があり、外からの出入り自由な薪小屋もあった。痩《や》せた小さな猫は藪から用心深くあたりのようすを窺《うかが》っていた。そのそばには二匹のちっぽけな子猫がうずくまっていた。

「確かにそうかも知れない」と私は言った。「家族連れの迷い猫で、食べものを捜しているんだ」

ヘレンは手を伸ばして、肉片と牛乳を少し入れたボウルを擁壁の平らな上端に置き、キッチンへ引っ込んだ。母猫はしばらく動かなかったが、やがて細心の注意を払って進んできて、肉を少し口にくわえると、子猫のほうへ戻って行った。

母猫は何度か斜面を這い下りてきたが、子猫たちが後を追おうとすると、「だめ」と言うように素早く前足で叩いた。

ガリガリに痩せて飢え死にしそうな母猫はしっかり子猫たちに食べさせてから、初めて自分でもボウルの残りものをいくらか食べた。そのようすを私たちは魅せられたように眺めていた。やがて食べものがなくなると、私たちは静かに裏口のドアを開けた。しかし、私たちを見かけるやいなや、母猫と子猫たちは飛ぶように牧草地へ逃げて行った。

「どこから来たのかしら」とヘレンは言った。

私は肩をすくめた。「わからないね。このあたりはどこまで行ってもなにもないいなかだからね。何マイルも先から来たのかも知れない。それにあの母猫は尋常な迷い猫のようではないね。ほんものの山猫という感じがある」

ヘレンは頷いた。「そうね、まるで家の中に入ったことがないような、人間となんの関係もないような、そういう感じね。ああいうふうに野外で生きている山猫の話を聞いたことがあるわ。あの母猫は子猫たちのために食べものを捜しにきただけなのかもしれないわね」

「きみの言う通りだと思うよ」と私は言い、ヘレンとともにキッチンへ戻った。「ともあれあの一家はおいしい餌《えさ》にありついたわけだ。もう二度と会うことはないと思うね」

しかし私は間違っていた。二日後、三匹連れは再び現れた。同じ場所で、藪の中からキッチンの窓のほうを空腹そうに窺っていた。ヘレンがまた餌をやると、母猫は依然として子猫たちが藪を離れるのを激しく禁じ、またしても私たちが近づこうとすると矢のように逃げ去った。翌朝、一家がまたやってきた時、ヘレンは私のほうを向いてにこりとした。

「どうやらわたしたちは見込まれたようね」

彼女の言う通りだった。三匹連れは薪小屋を住処《すみか》と定め、その二、三日後には、母猫は子猫が餌のボウルに近づくのを許し、途中ずっと注意深く見守りつづけた。二匹の子猫はまだほんとうにちっぽけで、生後二、三週間にすぎなかった。一匹は白黒、もう一匹は三毛猫だった。

ヘレンは二週間餌を与えつづけたが、猫たちは近づきがたい生きもののままだった。

ところがある朝、私が回診に出かけようとすると、ヘレンが私をキッチンへ呼んだ。

彼女は窓越しに指さした。「あれをどう思う?」

見ると、藪の中のいつもの場所に二匹の子猫が見えたが、母猫はいなかった。

「おかしいね」と私は言った。「母猫はこれまで絶対子猫を見えないところに置き去りにしなかったのに」

子猫たちは餌を取りにきたので、私は走り去る二匹の後を追おうとしたが、丈の高い芝草の中で二匹を見失った。草地をあちこち捜してみたが、子猫の姿も母猫の姿も見当たらなかった。

その後私たちは二度と母猫の姿を見なくなり、ヘレンはひどく不安がった。

「いったい全体あの猫はどうしたんでしょう?」と彼女は二、三日後、子猫たちがいつもの食事を取りにくるのを見ながら呟いた。

「いろんなことが考えられるね」と私は答えた。「宿無し猫の死亡率はきわめて高いのだと思う。車に轢《ひ》かれたとか、あるいはなにかほかの事故に遭った可能性もある。真相はわからないんじゃないかな」

ヘレンはまた子猫たちに目をやった。二匹は並んでしゃがみ、頭をボウルに突っ込んでいた。「母猫がこの子たちを見捨てたんだとは思わない?」

「そう、それはありうる。小さいながら子煩悩な母猫だったからね、子猫たちの安全な住処が見つかるまで捜し回っていたような気がする。子猫たちが自分で餌が取れるようになるまでは離れなかったんだが、いまはもとの野生生活へ戻ったのかも知れない。ほんものの山猫だったんだ」

　真相は謎のままだったが、ひとつだけ確かなことがあった。子猫たちは永遠に住みついたということだ。もうひとつ確かなことは、二匹とも絶対に飼い馴らされるようすがないということだった。私たちがどんなに試してみても、絶対に子猫に触れなかったし、なんとか家の中へ誘い込もうとしてもむだだった。

＊

ある雨の朝、ヘレンと私はキッチンの窓から外を見ていた。外の擁壁の上では二匹の子猫が毛をびしょ濡れにし、降りしきる雨にほとんど目を閉じるようにしながら、朝食を待っていた。

「かわいそうな子猫たち」とヘレンは言った。「あんなところに濡れて寒そうにしているのを見ていられないわ。なんとか家の中へ入れましょう」

「どうやって？　これまでもずいぶん試したじゃないか」

「それはわかってるわ。でも、もういっぺんやってみましょう。こんな雨だから喜んで中へ入るかも知れないわよ」

私たちは新鮮な魚のすり身を用意した。猫には抗いがたい好物だ。私は子猫たちにその匂いを嗅がせ、二匹ともがつがつと食べたそうにするのを見てから、皿を裏口のドアのすぐ内側に置いて、見えないところへ退却した。しかし、私たちが窓越しに見守っていると、二匹はどしゃぶりの雨の中で魚のほうをじっと見ながら動こうとしなかった。ドアの中へは入るまいと決意しているかのようだった。明らかにとんでもないことだと思っているようだった。

「わかった、おまえたちの勝ちだ」と私は言って、餌を擁壁の上に置くと、二匹はあっと言う間に平らげた。

私が敗北感を覚えつつ子猫たちを見ていると、土地のごみ収集人のひとりハーバート・プラットが角から現れた。彼の姿を見ると、子猫たちは大急ぎで逃げ去り、ハーバートは笑った。

「あの猫を引き受けたんかね。ずいぶんうまそうなもんをやってるね」

「そうなんだが、あれをやっても中へ入ってこようとしないんだ」

彼はまた笑った。「だろうね、やつらは絶対そんなことあしねえよ。おれは昔から猫の家族を知ってるんだ。全部の親子関係をね。いま見た子猫の母猫もここへ初めて来た時に見かけたけどね、あれはその前は丘の上のケイリーさんのところにいたんだ。その猫の母親はビリー・テイトの農場にいたのを覚えているよ。ああいう猫どもについちゃ、おれはずいぶん昔まで遡《さかのぼ》れるんだ」

「へえ、すごいじゃないか」

「ああ、そうよ。あの種族の猫で家の中へ入ったやつは見たことねえな。やつらは野生なんだ。ほんとうの山猫なんだ」

「ああ、なるほどね。ありがとう、ハーバート。これでいろんなことが説明つくよ」

彼はにこりとして、ごみ容器を持ち上げた。「そんじゃ、これで。やつらも朝飯の残りを食いにくるだろう」

「つまりそういうことなんだ、ヘレン」と私は言った。「これでわかったろう。彼らはいつも外で暮らしているわけだが、少なくとも彼らの住処を改良するくらいのことはしてやれるだろう」

私たちが薪小屋と呼んでいたしろものは、猫たちが寝られるように私が麦藁《むぎわら》を少し敷いておいたのだが、実は小屋などというものではなかった。屋根はあったが、壁面四面のうちの一面はまったく開いていて、ほかの三面も大きな隙間がたくさん開いていた。そのため絶えず風が吹き抜けていて、薪を乾かすにはまことに都合がよかったが、住処としてはひどく寒そうだった。

私は芝生の斜面を登って行って、風よけ《ザリーバ》にベニヤ板を打ちつけた。それから薪の山を積み直し、麦藁の寝床を囲む防御柵のようにして、少し息を切らしながら後ろへ下がって眺めた。

「よし」と私は言った。「これで大分居心地がよくなるだろう」

ヘレンは同意して頷いたが、さらにもうひとつ改良を加えた。風よけベニヤ板の内側に三方囲いの箱を置き、中にクッションを入れた。「さあ、これでもう、あのこたちは麦藁の上に寝る必要はないわ。このすてきな箱の中で暖かく心地よく眠れるでしょう」

私は手をこすり合わせた。「すばらしい。これでもう悪天候でも猫の心配をしなくてすむね。子猫たちはきっと大喜びでここに住むだろう」

その時から子猫たちは小屋に寄りつかなくなった。相変わらず毎日餌を取りには来たが、かつての住処の近辺に姿を見せることはまったくなくなった。

「まだ馴染《なじ》んでいないからよ」とヘレンは言った。

「うむ」私は薪の山に囲まれて置かれたクッション入りの箱を改めて眺めた。「それか、あるいはここが気に入らないか、どちらかだね」

私たちは二、三日そのままがんばったが、いったいどこで子猫たちは眠っているのかと考えているうちに、決意は崩れはじめた。私は斜面を登って行き、薪の囲いを壊した。するとすぐに二匹の子猫は戻ってきた。しかし、箱の周りを鼻先で嗅いで、またどこかへ行ってしまった。

「どうやらあの箱も好きでないようだ」と、ヘレンとともに特等席から見守りながら、私はぶつぶつ言った。

彼女は顔を引きつらせた。「ばかな子猫ね。あんなにいいものはないのに」

しかしその後二日間ようすを見ても猫は寄りつかなかったので、ヘレンはひとりで小屋へ行き、片手に箱、べつの手にクッションを持って悲しそうに斜面を降りてきた。

子猫たちはそれから数時間後に戻ってきて、すっかり安心したようにあたりを嗅ぎ回った。風よけベニヤ板には文句がないようで、麦藁の上にうれしそうに寝転んだ。猫のヒルトン・ホテルを作ろうとした私たちの試みはまったくの失敗に終わった。

このことでわかったのは、猫たちは囲われて退路を断たれることに耐えられないということだ。なんの囲いもない麦藁の寝床に寝ていれば、四方八方が見渡せ、ほんのささいな危険の兆候にも、隙間からさっと逃げ出せるというわけだ。

「わかったぞ、子猫たち」と私は言った。「それがおまえたちの望みのやりかたなんだな。それはそうと、おまえたちについて私はもっとほかのことも知りたいね」

ヘレンがなにか餌を与え、子猫たちがその餌に熱中している間に、私は二匹に忍び寄り、漁師の手網《たも》をかぶせて捕まえ、ひと悶着《もんちゃく》の後に、三毛猫が雌で、白黒が雄だという事実を知ることができた。

「うまくやったわ」とヘレンは言った。「これからはあの二匹をオリーとジニーって呼ぶことにしましょう」

「なぜオリーなんだい？」

「よくわからないわ。雄猫はオリーと呼びたいような顔をしてるし、わたし、その名前が好きなの」

「ああ、そう、それでジニーは？」

「生姜色《ジンジャー》って意味」

「雌猫は生姜色じゃない、三毛だ」

「でもちょっとは生姜色してるでしょう」

　私はそれ以上逆らわなかった。

　それから二、三カ月間に二匹は急速に成長し、私は獣医として急いで堅い決意を固めた。去勢しなければならないということだ。それと同時に、その時初めて私は、その後何年も悩まされることになる問題に直面した。私が触ることもできない動物に獣医の考えを押しつけていいのかどうかという問題だ。

　最初は、なにしろ相手がまだ半分子供だったので、それほど具合が悪くなかった。今度もまた私は手網を持って、餌を食べている二匹にこっそり忍び寄り、なんとか捕まえて猫檻に入れた。猫たちは檻の中から、恐れ戦《おのの》いた、それにまた思うに非難するような、そういう目で私を見た。

　診療所でシーグフリードと私は一匹ずつ檻から持ち上げ、静脈注射の麻酔をしたが、その時私はひどく感心したことがあった。二匹は生まれて初めて閉所に監禁され、人間につかまれたり、押さえつけられたりして、恐怖に戦いてはいたが、奇妙に扱いやすかったのだ。飼い猫患者の多くは眠り込まされるまで猛烈に抵抗するし、歯だけでなく爪までも武器にできる猫はこちらにかなりの怪我を負わせることができるのだが、しかしオリーとジニーは、激しくもがきはしたものの、咬《か》んだり爪を立てたりしなかった。

シーグフリードは簡潔に言った。「この連中はひどくこわがっているけれども、まったくおとなしいね。山猫はみんなこうなんだろうか?」

意識を失った小動物を見下ろしながら手術を進めるうちに、私は奇妙な気分になった。二匹は私の猫なのだが、それにもかかわらず、思いのままに触り、近々と調べ、毛並みの美しさや色合いを心行くまで楽しめるのは、それが初めてだったからだ。

二匹が麻酔から覚めると、私は家に連れ帰り、檻から放してやった。猫たちは薪小屋の住処へ一目散に駆け上がった。そうした小手術の影響は、通例どおりなにもなかったが、二匹の猫は明らかに私にたいして不愉快な記憶を持ったようだ。その後二、三週間、二匹は餌やりの時にヘレンのごく近くまで寄ってきたが、私の姿を見た瞬間に逃げ出した。卵巣摘出の傷口を縫った小さなほんの一針の糸を抜くためにジニーを捕まえようと苦心惨憺《さんたん》したが、むだだった。糸は永遠に残ることになり、私は猫に金輪際見捨てられたことに気づいた。私は災厄の元凶で、ちょっとでも隙を見せれば、捕まえて針金の檻に放り込む悪いやつということになったのだ。

間もなく事態はそのまま固定して推移していくだろうという見通しが明らかになった。と言うのも、月日が経ち、ヘレンがあらゆる珍味を与えつづけるうちに、猫たちはほんとうに美しいつやつやした姿となり、彼女が裏口のドアから出て行っても、擁壁の上を悠然と歩いているようになったのに、私がちょっとでもドアから顔を出すと、素早く逃げて見えなくなるからだった。私は絶えず避けるべき相手となったわけだ。このために私の心はずきずきと痛んだ。私はいつも猫が好きだったし、特にこの二匹には執着していたからだ。ついにヘレンが食事中の猫たちをやさしく撫でることのできる日が来た。それを見るにつけ、私の無念さは深まるばかりだった。

猫たちはいつもは薪小屋に眠っていたが、時折どこへともなく姿を消し、二、三日留守にすることがあった。そんな時私たちは見捨てられたのではないかとか、なにかあったのではないかとか、あれこれ気をもむのだった。再び姿を現すと、ヘレンは大喜びして叫んだものだ。「戻ってきたわ、ジム、戻ってきたのよ！」猫たちは私たちの生活の一部になっていた。

＊

　夏が徐々に秋に変わり、やがて厳しいヨークシャーの冬が始まると、私たちは猫たちの不撓不屈《ふとうふくつ》の精神に舌を巻いた。霜や雪の中で坐っている二匹を暖かいキッチンから見ていると、なんともかわいそうな気持ちになったものだが、天候がどんなに厳しくなり、どんな誘惑があろうと、どちらの猫も家の中に足を踏み入れようとはしなかった。猫たちには温もりや居心地のよさはなんの魅力もなかったのだ。

　天気が晴れた日には、二匹を見ているだけで大いに面白かった。キッチンからは薪小屋が手に取るように見えたので、二匹の猫の幸福な関係を観察していると我を忘れるほどだった。二匹はほんとうに仲がよかった。完全に一心同体で、互いになめ合ったり、ふざけて取っ組み合ったりしながら何時間も過ごし、餌を与えられた時は絶対に相手を押しのけたりしなかった。夜になると麦藁の上でくっつき合ってまるまっている、ふたつの毛むくじゃらの小さなからだが見えた。

　やがてなにもかもが永遠に変わってしまったのではないかと思える時がやってきた。二匹の猫はこれまで何度もそうしたように姿を消し、何日か過ぎるうちに私たちの心配は募った。毎朝ヘレンは「オリー、ジニー」と呼ぶことから一日を始めた。いつも

なら彼女の声で二匹は住処からちょこちょこと下りてくるのだったが、いまやまったく姿を見せず、一週間経ち、二週間経ちして、私たちはほとんど諦めの心境になりはじめた。
　ふたりでブロートンへ半日ほど出かけて帰ってくると、ヘレンはキッチンへ走って行き、窓の外を見た。猫たちは私たちの習慣を知っていたので、いつもは擁壁に坐って待っているのだが、空虚な擁壁が延びているだけで、薪小屋も空っぽだった。「あのこたち、永遠におさらばしちゃったのかしら、ジム？」と彼女は言った。
　私は肩をすくめた。「どうもそんな気配になりかけているね。ハーバートじいさんがあの猫の家系について話したのを覚えているだろう。たぶんあの猫たちは本質的に放浪者なんだ——どこか新しい牧草地へ移動したんじゃないか」

ヘレンの顔は悲しそうだった。「信じられないわ。あのこたち、ここであんなに幸せそうだったんだもの。ああ、なにも恐ろしいことがあのこたちに起こっていなければいいんだけど」沈み込んで彼女は買いものの片づけを始めた。そしてその晩ずっと黙り込んでいた。なんとか元気づけようとしたけれども、私自身すっかり落ち込んでいたので、力が入らなかった。

奇妙なことにまさにその翌朝、私はヘレンのいつもの呼び声を聞いたが、その声はいつものように陽気でなかった。

彼女は居間へ駆け込んできた。「あのこたちが帰ってきたわ、ジム」と彼女はいまにも息が止まりそうに言った。「でも死にかけているみたいなの！」

「なんだって？　どういうこと？」

「とにかくひどいようすなのよ！　重い病気にかかっているんだわ——きっと死にかけていると思うの」

私は彼女とともに急いでキッチンへ行き、窓越しに外を見た。猫たちは二、三フィート先の擁壁の上に並んで坐っていた。ほとんど閉じた目からは涙のようなものが流れ出し、鼻孔からは鼻汁がたれ、口からも涎《よだれ》がたれていた。からだを震わせて絶えずくしゃみや咳をしていた。

　二匹とも痩せ細り、私たちがよく知っているつややかな生きものとは似ても似つかなかった。その姿をさらにもっと哀れにしていたのは、肌を刺す東風にさらされて毛は逆立ち、目を開けることすら痛々しげなありさまだった。

　ヘレンは裏口のドアを開けた。「オリー、ジニー、どうしたの？」と彼女はそっと声をかけた。

　すると驚くべきことが起こった。彼女の声を聞くと、猫たちは慎重に擁壁から飛び降り、ためらいもなくドアからキッチンへ入ってきた。二匹がわが家の屋根の下に入ったのはそれが初めてだった。

「これを見て！」とヘレンは叫んだ。「信じられないわ。このこたち、ほんとうに病気なのね。でもなんの病気かしら、ジム？　毒でも食べたのかしら？」

　私は首を振った。「いや、猫風邪《かぜ》をひいたんだ」

「わかるの？」

「ああ、わかるさ、これは教科書どおりだからね」

「それでこのこたちは死んじゃうの？」

私は顎をさすった。「そうは思わないね」私は安心させようとしたのだが、自分でも半信半疑だった。猫のウイルス性鼻腔気管炎による死亡率はきわめて低いけれども、重症の場合は死ぬこともあるし、二匹の猫は実際非常に悪い状態だった。「とにかくドアを閉めてくれ、ヘレン。彼らが私に診察させてくれるかどうか、ようすを見よう」

しかし、ドアが閉まりかけるのに気づくと、二匹とも外へ矢のように跳び出した。

「もういっぺん開けて」と私は叫んだ。すると一瞬のためらいを見せた後、猫たちはキッチンへ戻ってきた。

私は驚いて二匹の猫を見た。「信じられるかい？　彼らは避難所を求めてここへ来たんじゃない。助けを求めて来たんだ！」

その点は疑問の余地がなかった。二匹は私たちがなにかしてくれるのを待って、そこに並んで坐っていた。

「問題は」と私は言った。「彼らの大嫌いなやつ《ベート・ノワール》が近づくのを許すかどうかだ。彼らがびくびくしないように裏口のドアは開けておいたほうがいいだろう」

私はそろそろと近づき、猫たちに手をかけられるところまで行ったが、二匹とも動かなかった。夢を見ているような気分になりながら、私はぐったりして無抵抗な猫を一匹ずつ持ち上げ、診察した。

ヘレンが撫でさすっている間、私は持ち合わせの薬を取りに車へ走って行き、必要なものを持ってきた。それから猫の体温を計ると、二匹とも四十度を越えていた。典型的な症状だ。最初のウイルス性感染に続く二次細菌感染の治療に常々最善の効果を発揮してきた抗生物質のオキシテトラサイクリンを注射し、さらにヴィタミン類を注射してから、脱脂綿で目と鼻孔から膿と粘液を取り除き、抗生物質の塗り薬を塗った。その間ずっと私は驚きどおしだった。去勢手術で麻酔をかけられた時をべつにすると、これまで私が触れることもできなかったふたつの柔順な小さなからだを、手に取って自由に扱っていたからだ。

治療を終えた後、残酷な風の中へ二匹を戻すというのは、考えただけでも耐えられなかった。私は二匹を持ち上げ、両脇に抱え込んだ。

「ヘレン」と私は言った「もういっぺんやってみよう。ドアをそっと閉めてくれないか」

彼女がノブに手をかけ、そろそろと押しはじめると、途端に二匹ともほどけるバネのように私の腕から跳び出し、まっしぐらに庭へ出て行った。私たちは猫が走って見えなくなるのを、なすすべもなく見送った。

「まったく考えられないことだね」と私は言った。「あんなに病気が重いのに、閉じ込められることに耐えられないんだから」

ヘレンは泣きそうな顔だった。「でも、外で大丈夫なの？　暖かくしておかないといけないんじゃないの。それに今度はここにいてくれるのかしら。それともまたどこかへ行ってしまうの？」

「私にはわからないね」私はだれもいない庭を眺めた。「しかし、彼らは自然の環境の中にいるんだってことを理解しないといけないよ。あの猫たちはタフな小動物なんだ。また戻ってくると思うね」

私は正しかった。翌朝、二匹は窓の外にいた。風を避けるように目を閉じ、顔の毛は多量の分泌物で縞模様になり汚れていた。

今度もまたヘレンがドアを開けると、二匹とも静かに中へ入ってきて、私が同じ治療を繰り返した時も、なんの抵抗も示さなかった。私は長く飼い馴らしたペットのように持ち上げ、注射し、目と鼻孔に綿棒で薬を塗り、潰瘍《かいよう》ができていないかどうかと口の中を調べた。

こういうことが毎日一週間ほど続いた。分泌物はますますこってりしたものとなり、激しいくしゃみはいっこうによくならないようだった。私が希望を失いかけた時、猫

たちは少量の餌を食べはじめ、重要なことには、家の中へあまり入りたがらなくなった。
なんとか中へ入れても、治療の間、緊張し、不機嫌だった。そしてついに私がまったく触れなくなる日が来た。二匹ともまだ完全に治った状態ではなかったので、餌にオキシテット可溶性散薬を混ぜるというやりかたで治療を続けた。
天候はますます悪くなり、細かい雪片が風に舞うようになったが、ある日から二匹は家の中へ入るのを拒むようになり、外で餌を食べるのを私たちは窓越しに眺めることとなった。しかし、私としては猫たちがまだ一口ごとに抗生物質を摂取しているのを見届けることで自らを慰めることができた。
この長期治療を続け、毎日キッチンから観察しているうちに、くしゃみが治まり、分泌物が乾き、猫たちが徐々に肉をつけていくようすがわかって、報われた気持ちになった。

＊

さわやかに晴れた三月の朝のことだった。私はヘレンが猫の朝食を擁壁の上に置くのを見ていた。オリーとジニーはいまやアザラシのようにつややかになり、顔はきれいに乾き、目はきらきら輝いている姿で、船外機のように喉を鳴らしながら、悠然と擁壁の上を歩いてきた。二匹は慌てて食べようとはしなかった。明らかにヘレンに会うのがうれしいのだった。

近くを行ったり来たりしながら、ヘレンに頭と背中をそっと撫でてもらうのだ。これがこの猫たちの好みの愛撫だった——しつこくなく、自分たちが絶えず動いている状態での愛撫だ。

私も撫でたくてたまらず、開いたままのドアから一歩踏み出した。「ジニー」と私は手を差し出しながら言った。「こっちへおいで、ジニー」小さな猫は擁壁の上の散歩の足を止め、安全な距離を保って私を見つめたが、その目には敵意はなく、そもそもの初めからの用心深さがあるだけだった。私が近づこうとすると、ジニーは手の届かないところまで後ずさった。

「わかったよ」と私は言った。「さて、オリー、おまえに頼んでもむだなんだろうね」白黒猫は私の伸ばした手から遠くへ後ずさって、無関心な視線を私に投げかけた。むだだと言っていることがよくわかった。

くやしい思いに駆られながら、私は二匹にむかって叫んだ。「おい、私を覚えているのか?」二匹の表情から、私をちゃんと覚えていることは明らかだった——が、私の期待したような覚えかたではなかった。私は一抹の挫《ざ》折《せつ》感《かん》を味わった。あれほど努力したにもかかわらず、私は出発地点に戻ってしまったのだ。

ヘレンは笑った。「このこたちって変なカップルね。でもすばらしく元気そうだわ! 健康そのものだし、まるで生まれ変わったみたい。新鮮な空気による治療はたいしたものだってことの証拠ね」

「まったくその通りだ」と私は苦笑いしながら言った。「しかしだね、これはまたお抱えの獣医がいるってことの証拠でもないかな」

5　エミリー——紳士の家に住みついた猫

農場へのゲートを開けようと車を降りた時、牧草地の縁に奇妙な格好の構造体を見つけて、私はおやっと思った。それは空積み石垣の陰に建てられ、谷間を見下ろしていた。何本かの金属の輪に防水シートを掛けたような格好で、ちょっとした雨風よけになっていた。大きな黒いイグルー（氷でできたイヌイットのドーム型の建物）のようでもあったが、なにに使うのだろう？

　私が不思議に思っていると、前面の粗麻布が開いて、白い顎髭を生やした背の高い男が現れた。彼は伸びをすると、周囲を見回し、古びたフロックコートのほこりを払い、ヴィクトリア朝時代にはやっていたような頂の高い山高帽をかぶった。私の存在には気づかないようすで立ち、道端からずっと下の小川のほうへ下っているヒースの繁った丘の斜面を眺めながら、深呼吸を繰り返した。やがて、しばらくすると、彼は私のほうを向いて、おもむろに帽子を持ち上げた。

「おはようございます」と彼は大司教のような声でぼそぼそ言った。

「おはようございます」と私は驚きをこらえながら応じた。「いい天気ですね」

彼のりっぱな顔立ちが緩んで、笑顔になった。「ええ、ええ、ほんとうに」それから彼は腰を屈め、粗麻布の入口を開いた。「おいで、エミリー」

私が見ていると、小さな猫が優雅な足取りで出てきて、豪勢に伸びをした。男は猫の首輪に紐をつないだ。そして私のほうを振り向くと、また帽子を脱いだ。「ではごきげんよう」男と猫はゆっくりとした足取りで村のほうへ歩きはじめた。道路の二マイルほど先に村の教会の塔がほんの少し見えていた。

私はゆっくりとゲートを開けながら、だんだん小さくなっていく男と猫を見送った。まるで幽霊でも見ているような感じだった。そのあたりは私のいつもの縄張りから外れたところだった。と言うのも、忠実な依頼人のエディ・カーレスがダロウビーから二十マイルも離れたこの農場を相続し、律義にも私たちの診療所にやってきて、引き続き家畜を診てほしいと頼んだからだ。二十マイルもの距離を駆けつけるのは、とりわけ真夜中のような場合にはなにかと不都合だろうと思いながらも、私たちは引き受けたのだった。

　農場は道路から牧草地二区画分ほど奥まっていて、私が庭に車を停めると、穀物倉庫の階段を下りてくるエディの姿が見えた。

「エディ」と私は言った。「いま実に変なものを見てきたんだけどね」

　彼は笑った。「ああ、言わなくてもわかりまさあ。ユージーンに会ったんすね」

「ユージーン？」

「そうす。ユージーン・アイアスン。あそこに住んでいる男でさあ」

「住んでいる？」

「そうす――あれは彼の家なんすよ。彼はあれを二年前に自分で建て、住みついたんでさあ。先生も知っての通り、ここはもともとおれの父親の農場でしてね。父親はよくあの男のことをおれに話していたもんす。彼はどこからともなくやってきて、あの変な家に猫といっしょに腰を落ち着け、以来どこへも行かないんでさあ」

「まさか許可をもらって牧草地の縁に住処を建てていたとは思わなかったね」

「おれだって思わなかったすよ。しかしだれも彼の邪魔はしなかったようでしてね。もうひとつ面白いことがあるんすよ、先生。彼は教育を受けた男で、世界中を旅行し、野蛮な国で野蛮な生活をしたり、あらゆる種類の冒険をしたりしていたらしいんでさ

EMILY

あ。まあ、どこへ行ってたにせよ、結局は北ヨークシャーへ戻ってきたってこってす」

「しかしどうしてああいう変な構築物に暮らしているんだい？」

「それはミステリーなんすよ。彼は幸福そうだし、あそこで満足しているようでしてね。おれの父親は彼が大好きだったんす。それであの老人もよく農場へやってきては、ありあわせの食べものをもらったり、バスルームを使ったりしていたんでさあ。いまもそうしてますが、非常に独立心の強いひとでね。だれにもたかったりなんかしないんす。食料の仕入れや年金の受け取りに、定期的に村へ下りて行くんすよ」

「いつもあの猫といっしょなの？」

「そうす」エディはまた笑った。「いつもあの猫といっしょでさあ」

私がここへ来たのは病気の雌牛《めうし》を診るためだったので、私たちは家畜小屋へ入って行った。しかし、あの奇妙な男と猫のカップルの記憶が私の頭から消えなかった。

＊

三日後に雌牛がどうしているかを見ようと農場のゲートのところで車を停めると、アイアスン氏は日なたで柳細工の椅子に坐り、猫を膝に乗せて本を読んでいた。

私が車を降りると、彼はこの前のように帽子を持ち上げて挨拶した。「こんにちは。とても気持ちのいい日ですな」

「ええ、ほんとうに」私が声を出すと、エミリーはピョンと跳び下りて、私に挨拶しに草の上を歩いてきた。顎の下を撫でてやると、猫は背中をまるめ、ゴロゴロと喉を鳴らして私の脚にからだをこすりつけた。

「とてもかわいい猫ですね！」と私は言った。

男の態度は慇懃《いんぎん》さからなにかべつのものへ変わった。「猫はお好きかな？」

「ええ、好きです。昔から好きなんです」私が撫でつづけ、時々尻尾をわざと引っ張ってやると、きれいなぶちの顔で私を見上げ、喉鳴らしの音は最高潮に達した。

「ほう、エミリーはあなたがとても気に入ったようですな。この猫がそんなに感情をはっきり出すのをぼくは見たことがありません」

私は笑った。「この猫は私の気持ちがわかるんです。猫というのはいつもそうです――とても利口な動物ですから」

アイアスン氏はにこりとして同意した。「あなたとは先日お会いしましたな。カーレスさんとなにか仕事の上での関係がおありかね？」

「ええ、私は獣医なんです」

「ああ……そうですか。するとわがエミリーは獣医さんに認められたってわけですな」

「正直な気持ちなんです。すばらしい猫ですよ」

老人は満足感でいっぱいになったようだった。「ありがたいお褒《ほ》めの言葉で」彼はためらった。「あの、失礼ですが、お名前は……」

「ヘリオットです」

「ああ、そうでしたな、ヘリオット先生。ひとついかがですかな、カーレスさんのところの仕事が終わりましたら、ぼくのところでお茶を一杯飲むというのは？」

「それはどうもありがとうございます。仕事は三十分もかからずに終わると思います」

「結構。結構。それじゃお待ちしていますよ」

エディの雌牛は完全に元気を快復していた。私はほどなく農場の道を戻って行った。アイアスン氏はゲートのそばで待っていた。「少しひんやりしてきましたな」と彼は言った。「中へ入ったほうがよさそうですぞ」彼は私をイグルーのほうへ案内し、粗麻布を開けて、昔懐かしい優雅なしぐさで中へ招き入れた。

「どうぞお坐りください」と彼は低い声で言い、ぼろぼろの革が張られた、かつての車の座席とおぼしい椅子を私に勧めた。彼自身は私が外で見たあの柳細工の椅子に沈み込んだ。

彼がふたつのマグカップを用意し、プリマス・ストーブ（携帯用石油こんろ）からやかんを取り、注ぎはじめた時、私は屋内にあるものをこっそり見た。キャンプベッド（折り畳み式の持ち運びできるベッド）、大きく膨らんだリュックサック、一並びの本、テリーランプ（携帯用灯油ランプ）、低い食器戸棚、それとエミリーが鎮座しているバスケットがあった。

「ミルクと砂糖は、ヘリオット先生？」老人は優雅に首を横に傾けた。「ああ、砂糖なしですな。ここにバン（薄甘の小さな丸いパンで干しブドウなどがはいっている）が少しあるんですが、是非試食していただきたいですな。麓の村に小さなすばらしいパン屋さんがありましてね、ぼくはそこの常連なんです」

私はバンをかじり、紅茶を飲みながら、一並びの本を盗み見た。どれも詩の本だった。ブレイク、スインバーン、ロングフェロー、ホイットマンなどで、どの本も擦り切れるほどに読み古されていた。

「詩がお好きなんですね?」と私は言った。

彼はにこりとした。「ええ、そうなんです。ほかのものも読むことは読むんです——移動公共図書館のヴァンが毎週ここにやってきますからな——しかしいつも結局旧友たちのところへ戻ってくるんです。特にこれですな」彼は最前読んでいた、あちこち隅の折れた本を取り上げた。『ロバート・W・サーヴィス詩集』だった。

「その詩人がお好きなんですね?」

「ええ。サーヴィスはぼくの好みの詩人だと思いますね。古典的詩人には入らないかも知れませんがね、彼の詩はぼくの中の非常に深いなにかに触れるんです」彼は詩集を見てから、私の背後のどこか彼だけが知っている場所に目をやった。私はその時ふと、彼がさまよっていたのはアラスカとかカナダのユーコン準州あたりの荒野ではなかったのかと思った。一瞬彼が私に過去の話をしてくれるのではないかと期待したが、彼はどうやら過去の話はしたくないようだった。話したかったのは自分の猫のことだった。

「これは大変に異常なことですな、ヘリオット先生。ぼくはこれまでずっとひとりで生きてきたし、寂しいと思ったこともなかったんですが、いまやエミリーがいなくなったらどんなに寂しくなるか、ぼくは知っているんです。こう言うとばかげた感じに聞こえるでしょうな?」

「そんなことはありません。おそらくそれはあなたがこれまでペットをお飼いになったことがないからだと思うんですが」

「まったくその通りで。こんなに長く同じ場所に留まるとは夢にも思いませんでしたからな。ぼくは動物が好きで、犬を飼いたいと思ったことは何度もありましたが、猫を飼いたいと思ったことはないんです。猫は人に愛情を示さないとか、自己充足的で、実際には決してだれも好きにならないという話をよく耳にしてましたからな。先生もそう思いますかね?」

「いや、もちろん思いませんよ。まったくばかげた話です。猫は一匹一匹性格がありますが、私は何百匹ものひとなつこい、愛情豊かな猫を扱ってきましたよ。そういう猫は飼い主にとって忠実な友人になるんです」

「そういうお話を伺うと、とてもうれしくなりますな。と言うのも、まあ自惚《うぬぼ》れかも知れないが、この猫はほんとうにぼくによくなついているものでね」彼は膝に跳び乗ってきたエミリーの頭をやさしく撫でた。

「よくわかりますよ」と私が言うと、老人はうれしそうに笑った。

「実はここに初めて住みついた時ですね」と彼は言って、あたかもそこが何エーカーもの館の居間ででもあるかのように、あたりを手で示した。「慣れ親しんだひとり暮らしを続けたくないという理由はまったくなかったんですが、ある日この小さな猫が招かれたようにどこからともなくやってきましてな、ぼくの生活はすっかり変わってしまったんですよ、ヘリオット先生」

私は笑った。「猫があなたを見込んだんです。猫はよくやるんです。あなたにとっては幸運な日だったわけですね」

「そうです、そうです……まさにおっしゃる通りで。さすがにこういうことをよくご存じですな、ヘリオット先生。さて、紅茶をもう少しいかがです?」

これを最初にして、私はアイアスン氏の奇妙な住まいをしばしば訪ねることになった。カーレス農場へ行くたびに、粗麻布の入口を覗き、ユージーンが在宅していれば、お茶とおしゃべりを楽しむのだった。話題は多岐に及んだ——書物のこと、政治情勢のこと、彼が造詣の深い博物学のことなどだが、会話はいつも巡り巡って猫のことになった。猫に必要な世話や餌、猫の習慣や病気など、彼はあらゆることを知りたがった。私のほうは彼の世界漫遊談を聞きたくてうずうずしているのに、それについてはごく曖昧《あいまい》な言葉でしか語らず、代わりに私の獣医経験談には、子供のように目をまるくし、興味津々となって聞き入るのだった。

ある時、そういう会話を交わしている際に、私は特にエミリーについての問題を持ち出した。

「私が見かけるエミリーはいつもここにいるか、紐でつながれてあなたといっしょにいるか、どちらかですが、ひとりで外へ散歩に行ったりしないんですか？」

「ああ、行きます……その話が出たついでにお話ししますと、ついさっきも行ってきたところでしてな。もっぱら農場へ行くんです——道路をうろうろしないようにさせているんですよ。車に轢かれるといけませんからな」

「そういう意味ではないんですよ、アイアスンさん。私が考えていたのは、あっちの農場には何匹かの雄猫がいるってことなんです。エミリーは簡単に妊娠するかも知れませんよ」

彼はぎくりとして椅子に坐り直した。「まったくおっしゃる通りですな！　ぜんぜん考えていませんでしたね、ぼくは——なんてばかなんだ。これからは外に出さないようにしたほうがいいですな」

「大変難しいですね」と私は言った。「むしろ卵巣摘出をしたほうがいいでしょう」

「え？」

「私に子宮摘出をさせてください。子宮と卵巣を摘出するんです。そうすれば安全です——ここに子猫をたくさん飼うわけにはいかないでしょうからね」

「もちろん……もちろんだめです。しかし、手術となると……」彼は戦《おのの》きの目で私を見た。「危険な要素もあるんでしょうな……？」

「いや、ありません」と私はできるだけきっぱりとした口調で言った。「ごく簡単な手術なんです。私のところでは数え切れないほどやっていますよ」

彼がいつも示している都会的な物腰は消えてなくなった。落ち着きをなくすようなことはなにもないほど、人生のさまざまなことを見てきたひとという印象を、私は最初から受けていたのだが、いま彼は自分の殻に閉じこもってしまったかのようだった。例によって膝に乗っている小さな猫を彼はゆっくりと撫で、それから、私がここへ到着した時に彼が読んでいた黒革表紙の本に手を伸ばした。色褪せた金文字で『シェイクスピア作品集』と書かれていた。彼はしおりを本に挟んで閉じると、慎重に棚に戻した。

「ぼくはどう言っていいかまったくわかりませんな、ヘリオット先生」

私は彼を励ますつもりでにこりとした。「心配することはなにもありません。是非お勧めします。どんな手術なのかをちょっと説明すれば、きっと安心してもらえるのではないでしょうか。実際は鍵穴手術なんです——ごく小さな切り口をつけ、卵巣と子宮を取り出し、根っこを縛るだけなんです……」

私は急いで話を切り上げた。聞き手の老人が目をつぶって、柳細工の椅子から落ちるのではないかと思われるほど極端に片側に傾いたからだ。外科手術についての言葉での説明が望ましくない効果をもたらしたのはこれが最初ではなかったので、私は戦術を変えた。

私は大声で笑うと、彼の膝を叩いた。「そんなわけですからね、なんでもないことなんです——まったくなんでもない」

彼は目を開けて、震えながら長々と息を吸い込んだ。「そうでしょう……そうでしょう……きっと先生のおっしゃる通りだと思います。しかし、少し考える時間をいただきたいものですな。あまり突然のお話ですから」

「わかりました。エディ・カーレスがきっとあなたの代わりに私に電話で知らせてくれると思います。でも、どうか先延ばしにしないでください」

＊

老人からの連絡はなかったが、私はべつに驚かなかった。彼は明らかに卵巣摘出という考え自体に恐れをなしてしまったのだ。私が彼に再会したのは、それから一カ月以上経ってからだった。

私が粗麻布の入口から首を突っ込むと、彼はいつもの椅子に坐って、じゃがいもの皮を剝いていた。私を見る彼の目は真剣そのものだった。

「ああ、ヘリオット先生。さあ、どうぞ中に入って、お坐りください。ちょうどこちらから連絡しようとしていたところなんです――先生のほうから来ていただいて、助かりました」彼は中空を睨んで、決意を固めたようすだった。「エミリーについてですが、先生のご忠告を受け入れることにしましたよ。いつでも先生のご都合のいい時に手術を実行してくだされ」しかし、そう言いながらも、彼の声は震えていた。

「おお、それはすばらしい！」と私は陽気に言った。「善は急げで、車に猫用のバスケットを積んでいますから、すぐにも連れて行けます」

猫が私の膝に跳び乗ってきたので、私は老人の引きつった顔を見ないようにした。

「さあ、エミリー、おまえは私といっしょに行くんだ」そう言って小動物を眺めた時、私にためらいが生じた。私の単なる気のせいだろうか？　それとも実際エミリーの腹部はかなり膨らんでいるのだろうか？

「ちょっと待ってください」と私は小声で言い、小さなからだを触診してから、老人を見た。

「残念ながらちょっと手遅れですね、アイアスンさん。エミリーは妊娠しています」

彼は口を開けたが、言葉は出てこなかった。ごくりと唾を呑み込むと、しわがれた囁き声で言った。「しかし……しかし、どうしたもんでしょうな？」

「なんでもありません。なんでもありませんよ。ご心配なく。子猫が生まれるだけです。もらい先は私が見つけてあげます。万事うまくいきますよ」私はできるだけ気軽な調子でしゃべったが、役に立たないようだった。

「しかし、ヘリオット先生、ぼくはこういうことについてなにも知らないものでね。いまはものすごく心配ですな。エミリーは子供を産んで死ぬかも知れませんよ――なにしろこんなちっぽけなからだですからな！」

「いや、そんな心配は絶対ありません。猫はめったなことでは出産時に問題を起こさないものなんです。たぶんこれから一カ月ほど先でしょうが、産気づいたらどうすべきか、私が教えてあげます。エディに私のところへ電話させてください。私がここへ駆けつけて、万事順調かどうか見てあげます。それでどうでしょう？」

「ほんとうにご親切に、どうも。ぼくはこういうことにはまるででくのぼう同然なんです。問題は……ぼくにはエミリーが宝ものだってことでしてな」

「わかってますよ。どうかご心配なく。万事きっとうまくいきますよ」

私たちはいっしょに一杯の紅茶を飲んだが、私が帰るころまでには、彼は落ち着きを取り戻していた。

＊

実際にようやく知らせがあったのはある嵐の夜だった。

「ヘリオット先生、いま農場から電話しているんです。エミリーはまだ子供を産んでいませんが、なんと言うか……ものすごく大きくなって、一日中震えて横になったまま、なにも食べようとしないんですよ。こんな天気の悪い晩にご迷惑をかけたくないんですが、ぼくはこういうことについてなにも知らないし、エミリーはほんとうに、その……具合悪そうでしてな」

私は声の調子からいやな感じがしたが、なにげないふうを装った。「これからちょっとそっちへ行って、ようすを見てみましょう、アイアスンさん」

「ほんとうですか――大丈夫ですかな？」

「ええ、大丈夫です。ご心配なく。では、後ほど」

四十分後に私が暗闇の中を躓《つまず》きながら進んで、粗麻布を押し開くと、奇妙な、ほとんどこの世のものとも思えない光景が目に入った。雨風が防水布の壁を激しく打ち、テリーランプのゆらめくあかりの中で、椅子に坐ったユージーンが傍らのバスケットに横たわるエミリーをさすっていた。

小さな猫は巨大に膨れ上がり、ほとんど元の姿がわからないほどだった。跪いて、膨張した腹部に触ると、皮膚がはちきれそうに張っているのがわかった。いかにも子猫がたくさん詰まっているようすだったが、エミリーは死んだようにぐったりしていた。それでも時折力んだり、陰門をなめたりしていた。

私は老人を見上げた。「お湯が少しありますか、アイアスンさん？」

「あります、あります、やかんがちょうど沸いたところでしてな」

私は小指に石鹸《せっけん》を塗った。ちっぽけな膣《ちつ》には小指をいれるのがやっとだった。内側では子宮頸が広く開いていて、その向こうの塊がわずかに触診できた。何匹の子猫がそこに詰め込まれているかはさっぱり見当がつかなかったが、ひとつだけ確かなことがあった。子猫が出られる道がないということだ。操作できる余地はまったくなかった。私にできることはなにもなかった。エミリーは私のほうを向いて、がっかりしたようにかすかにニャーと啼いた。この猫は死ぬかもしれないという直感が鋭く私の胸を突いた。

「アイアスンさん」と私は言った。「エミリーを直《ただ》ちに連れて行かなければなりません」

「連れて行く？」彼は戸惑ったような囁き声で言った。

「ええ、帝王切開が必要なんです。通常の方法では子猫たちが出られないんです」

衝撃を受けて椅子にまっすぐに坐り直し、よくわからないまま彼は頷いた。私はバスケットごとエミリーを抱え上げると、暗闇の中へ駆け出した。そこで、老人が呆然と私を見送っている姿を思い浮かべ、患者の扱いかたが尋常でないことに気づいたので、後戻りして頭を粗麻布から突っ込んだ。

「ご心配なく、アイアスンさん」と私は言った。「万事うまくいくと思います」

ご心配なく！　格好のいい言葉だ。エミリーを後部座席に乗せて走り出した時、私自身はものすごく心配していた。猫は難なく子供を産むものだと気軽に吹聴してしまった後で、いま悲劇が起こるかも知れない事態となってしまった皮肉な運命を呪っていた。どれくらい長くエミリーはあんなふうに横になっていたのだろう？　子宮破裂か敗血症か、暗澹《あんたん》とさせられる可能性があれこれと心に浮かんだ。それにまた、なぜ選《よ》りに選ってああいう孤独な老人の身の上にこういうことが降りかからなければならないのだろう？

私は村の売店で停まって、シーグフリードに電話した。

「いまユージーン・アイアスンのところから帰るところなんだ。ちょっと診療所へ来て手伝ってくれないか。猫の帝王切開で、緊急なんだ。夜の休息の時に騒がせて申し訳ない」

「気を遣うには及ばないよ、ジェイムズ。こっちはいまなにもしていない。それじゃ、後ですぐにな」

私が診療所へ着くと、シーグフリードは滅菌器を沸騰《しゃふつ》させ、あらゆるものを並べていた。「ジェイムズ、これはきみの領分だから、私は麻酔をやろう」と彼は小声で言った。私が手術部位の毛を剃り、大きく膨れ上がった腹部の上にメスを構えると、彼はそっと口笛を鳴らした。「ほ、ほう」と彼は言った。「膿瘍《のうよう》の開腹手術みたいじゃないか！」

まさにその通りだった。切り口をつけると、ひと塊の子猫たちが目の前に跳び出してくるのではないかという気がした。そして実際、細心の注意を払って皮膚と筋肉を切り進むと、中身の詰まった子宮が驚くほど膨れ上がった。

「すごいね！」と私は溜め息まじりに言った。「いったい何匹入っているんだろう？」

「相当な数だ！」と私のパートナーは言った。「こんなに小さい猫なのにね」

慎重に腹膜を切り開いたが、腹膜は異状がなく健康そうだったので、ほっとした。それから先へ進んで、小さな脚や頭がごちゃごちゃと現れるのを待った。しかし、いや増す驚きの中で、切り口伝いに大きなまっ黒な背中が現れ、最終的に私は首に指を引っかけて、一匹だけの子猫を引っ張り出し、手術台の上に置いたが、それだけで子宮は空っぽになった。

「一匹だけだ！」私は喘いだ。「信じられるかい？」

シーグフリードは笑った。「ほんとうだ。それにしてもばかでかいね！　それに生きてもいる」彼は子猫を持ち上げ、詳しく調べた。「ばかでかい雄猫だ――母親とほとんど同じくらいの大きさだよ！」

縫合をすませ、眠っているエミリーにペニシリン注射を打つと、緊張が解けて、私の中にほっとした気分が広がった。小さな母猫の状態は良好だった。私の恐れは根拠のないものだった。二、三週間、子猫と母猫をいっしょにしておくのが一番よさそうだった。そのうちに子猫のもらい先が見つけられるだろう。

「手伝いに来てくれて、ほんとうにありがとう、シーグフリード」と私は言った。

「最初かなり危ない状況に見えたもんでね」

老人のところへ戻るのが待ち切れない気持ちだった。愛する猫を私が持ち去ったこ

Lesley Holmes

とで、彼がまだショック状態にいることがわかっていたからだ。実際、私が粗麻布の入口を分け入って行くと、彼は最後に私が見た時から一インチも動いていないかのようだった。本も読まず、なにもしないで、椅子に坐ってただじっと前を見ていた。

私が彼のそばにバスケットを置くと、彼はゆっくりと振り向き、不思議そうにエミリーを見た。猫は麻酔から覚めかけ、頭を持ち上げはじめていた。エミリーといっしょに黒い新参者がいて、自分だけで占有できる乳首の列に興味を示しはじめていた。

「エミリーは大丈夫です、アイアスンさん」と私が言うと、老人はゆっくりと頷いた。

「すばらしい。なんともまったくすばらしい」と彼は呟いた。

＊

十日後に糸を抜きに行くと、イグルーの中は祝祭的な雰囲気だった。老ユージーンは我を忘れて喜び、エミリーは忙しく乳を吸う巨大な子猫のために横になったまま、おつにすました感じとも取れる誇らしげな表情で私を見上げた。

「今日はひとつ紅茶とぼくの好きなバンでお祝いしなければいけませんな」と老人は言った。

やかんを沸かしながら、彼は子猫のからだを指で撫でた。「すばらしい子猫ですぞ、これは」

「同感です。美しい雄猫に成長しますよ」

ユージーンはにこりとした。「そう、きっとそうでしょうな。この猫をエミリーといっしょに飼ったら楽しいと思うんだが」

私は彼からバンを受け取った手を止めた。「しかし、ちょっと待ってください、アイアスンさん。ここで二匹の猫はとても飼えませんよ」

「どうしてです？」

「だって、ほとんど毎日エミリーに紐をつけて村まで行くわけでしょう。二匹の猫を連れていると、道路でやっかいなことになりますよ。それに、どっちみちここには場所の余裕がないんじゃないですか？」

彼がなにも言わなかったので、私は念を押した。「先日、ある婦人から黒い子猫を見つけてもらえないかと頼まれたんです。よく頼まれるんです、特定のペットを探してほしいと。それまで長年飼っていたペットが死んだりして、代わりがほしくなるんです。いつもは希望をかなえてやるのに苦労するんですが、今回はぴったりのものを知っていると言えたので喜んでいるんですよ」

彼はゆっくりと頷き、少し考えてから言った。「おっしゃる通りですな、ヘリオット先生。ぼくはこの問題をあまりよく考えていなかったということですな」

「とにかく」と私は言った。「そのひとはとてもいいひとで、ほんとうの猫好きなんです。この子猫はとてもいい家に住めますよ。あのひとのところでは小さなサルタンのようにして暮らすでしょう」

彼は笑った。「そうですか……ありがとう……それに時々この子猫の噂も聞こえてくるわけですな?」

「それはもう間違いありません。私がいつも最新情報を持ってきますよ」私はハードルをうまく越えたことがわかったので、話題を変えようと思った。「アイアスンさん、是非言っておきたいことがあるんです。あなたがとても幸せそうだってことです。人生に満足しきっておられる。たぶんこれはエミリーと関係があるんでしょうね」

「まさにその通り! 実はぼくもいまそのことを言おうとしていたんですが、先生にばかにされるのではないかと思いましてな」彼はのけぞって笑った。陽気な子供っぽい笑いだった。「そうです、ぼくにはエミリーがいるんです。なによりも大事なものが! その点で先生と同じ意見なのはとても嬉しいですな。さあ、もう一つバンをどうぞ」

6 オリーとジニー——住みつく

自分の家の猫たちが私の姿を見るのも耐えられないという事態に、猫愛好家として私は苛立《いらだ》っていた。ジニーとオリーはいまや家族の一員になっていた。この二匹の猫に私たちは献身し、どこかへ出かけた後、帰ってきてヘレンがいつも最初にすることは、裏口のドアを開けて、猫に餌《えさ》をやることだった。猫たちはこれをとてもよく知っていて、彼女を待ちながら擁壁の平らな上端に坐っているか、住処《すみか》にしている薪小屋からいつでも走ってこられるように待ち構えているのだった。

半ドンの日に私たちがブロートンへ出かけて帰ってくると、猫たちはいつものように擁壁の上で待っていて、ヘレンは餌の皿とミルクのボウルとを差し出した。

「オリー、ジニー」と彼女は毛に被われたからだを撫《な》でながら小声で呼んだ。ヘレンにもからだを触らせなかった日々はとっくに過ぎ去っていた。いまや猫たちは喜んで背中をまるめ、喉《のど》を鳴らしながらからだを彼女の手にこすりつけ、餌を食べている間、ヘレンは繰り返し猫たちの背中をさすることができた。二匹はとても温厚な小動物で、野生の面が現れるのは恐怖に戦《おのの》いた時だけだったが、ヘレンにたいしては恐怖心も消えていた。私の子供たちと何人かの村のひとたちも二匹に信頼を勝ち得ていて、慎重に愛撫《あいぶ》してもいいことになっていたが、こと私へリオットにたいしては、二匹の猫は一線を画していた。

例えばいまがそうで、私はそっとヘレンの後について外へ出て、擁壁に近づいて行った。するとすぐさま猫たちは餌から離れ、安全な距離まで後ずさって立ち止まった。私を見まだ背中をまるくしていたが、いつものように、手の届かないところだった。私を見る二匹の目に敵意はなかったけれども、私が手を差し出すと、さらに遠くへ逃げるのだった。

「あの小さな乞食たちを見てくれ！」と私はくやしがった。「あのこたちはいまだに私となんの関係も持とうとしない」

私はなんとも満たされない気持ちだった。と言うのも、獣医になってこのかた、猫はいつも私に興味を持ち、それが猫を扱う上で大いに役立ってきたからだ。私が猫好

きで、猫にもそれがわかるため、私はたいていのひとよりも猫を楽に扱えると自負していた。猫治療技術や猫患者扱いとでもいうべきものにかなりの誇りを持っていたし、猫全体に共感を持つとともに猫のほうもすべて私を気に入っているということを信じて疑わなかった。実際、ほんとうのことを言ってよければ、私は猫のアイドルだと自惚れていた。皮肉なことにこの二匹の猫にはそんな話は通じなかった。私がこんなに愛着を感じている猫だというのにだ。

　これは少しひどいのではないかと私は思っていた。と言うのも、二匹が猫風邪《かぜ》にかかった時、私は主治医としておそらくは命を救ってやった人間だからだ。猫たちはそのことを覚えているのだろうかと私は思った。だが、仮に覚えているとしても、依然として明らかに私には二匹に触る権利が与えられていなかった。そして、なるほど確かに二匹が覚えていると思えることは、去勢する前に網をかぶせて檻に押し込んだのは私だということだ。私を見るたびに猫の心に浮かぶ重要事は網と檻なのだという感じが私にはした。

　私としては相互理解ができる時が来ればいいのにと願うばかりだったが、結果的に運命はいつまで経っても私にたいして陰謀を企てているかのようだった。とりわけオリーの体毛の件があった。オリーは妹のジニーと違って長い毛の猫で、そのため絶えず毛がもつれたり、玉になったりしていた。普通の飼い猫であれば、問題が生じればすぐに梳《と》かしてやるところだが、なにしろ私はそばに近づけもしない身なので、どうしようもなかった。餌をやるようになってからほぼ二年後のある日、ヘレンが私をキッチンへ呼んだ。

「ちょっとあのこを見て！」と彼女は言った。「ひどい格好ね！」

　私は窓越しに覗いた。オリーは実際もつれた毛やぶらさがる毛玉などで、つやつやとして美しい小さな妹とは残酷なほど対照的に、ちょっとした案山子《かかし》のようだった。

「わかってる、わかってる。しかし私になにができるんだい？」私が背を向けようとした瞬間、目に入るものがあった。「ちょっと待って。あのこの首の下にひどく大きい毛玉がぶらさがっているね。この鋏《はさみ》を使って、切ってみてくれないか——素早く二回パチンパチンとやれば取れるだろう」

　ヘレンは困ったような顔をした。「あら、前にも試してだめだったでしょう。わたしは獣医じゃないし、とにかくあのこはわたしに切らせてくれないわ。わたしがかわいがるのは許してくれても、これはべつのことですからね」

「それは知っているが、やってみてくれ。実際、ほかにどうしようもないんだ」私は曲がった鋏を彼女の手に押しつけて、窓越しに指示を叫びはじめた。「さあ、いまだ、そこにぶらさがっている大きな毛玉の後ろに手を入れて。そう、それでいい！　さあ鋏を構えて――」

　しかし、スティールの最初のきらめきを見た瞬間、オリーは逃げ出し、斜面を駆け登って行った。ヘレンは絶望して私のほうを見た。「むだだわ、ジム。望みなしよ――あのこはからだじゅうが毛玉だらけなのに、毛玉ひとつ切らせてくれないんだから」私たちから安全な距離のところで立ち止まっている、もじゃもじゃのからだの小さな生きものを私は見た。「確かにきみの言う通りだ。なにかべつの手立てを考えないといけないな」

　べつの手立てを考えるということは必然的にオリーを騙《だま》して薬物を飲ませ、私が近づけるようにすることを意味したし、忠実なネンブタールのカプセルがすぐに私の頭に浮かんだ。この経口麻酔薬は私が近づきがたい動物を扱わなければならなかった無数の場合の価値ある味方だったが、今回は違っていた。ほかのケースでは、患者たちは閉鎖された室内にいたが、オリーは外にいて、いくらでもさまよい歩ける広い野原が控えていた。キツネやほかの捕食動物に食われるかも知れない野原のどこかでオリーを眠らせるわけにはいかなかった。常時この猫を見張っていなければならないだろう。

決断の時だったので、私は自分を奮い立たせた。「今度の日曜日にやってみるよ」と私はヘレンに言った。「日曜日はいつも少し暇だし、急患があったらシーグフリードに私の代わりにやってくれと頼めるからね」

その日が来ると、ヘレンは外へ出て、擁壁の上にぶつ切り魚の食事を二皿置いた。そのうちのひとつにはネンブタール・カプセルの中身が埋め込まれていた。私は窓の内側で中腰になり、オリーが間違いなく薬入り魚を食べるようにヘレンがしむけるのをじっと見守った。オリーが疑わしげに匂いを嗅ぐのを見て、私は息が止まる思いだったが、すぐに空腹が用心深さに勝って、明らかにおいしそうに皿をきれいになめた。

それからが厄介な局面の始まりだった。オリーがしばしばそうするように牧草地を探検することに決めれば、私はその後をついて行かなければならないだろう。猫がぶらぶらと斜面を登って、開け放しの薪小屋へ向かいはじめると、私もそっと家を抜け出した。私が大いに安心したことに、オリーは麦藁《むぎわら》にできた特別な自分用のへこみに

身を落ち着け、からだを洗いはじめた。

私は藪《やぶ》からようすを窺《うかが》っていたが、うれしいことに、オリーはすぐに顔を洗うのもままならなくなり、後足をなめてから、それを顔のほうへ近づけようとしてひっくり返った。

私はひとりでくすくす笑った。望ましい兆候だった。あと二、三分でそばに寄れるだろう。

ことは順調に運んだ。オリーはひっくり返る自分にうんざりして、一眠りするのも悪くない考えだという結論に達したようだ。酔っ払ったような目であたりを見回し、麦藁のなかにからだをまるめた。

私はさらにしばらく待ってから、追跡中のインディアン戦士のようにこっそりと隠れ場所から這い出し、忍び足で薪小屋へ近づいた。オリーは完全にはぐったりしていなかった——私が猫を追い切れなくなる場合のことを考えて、規定量の麻酔薬を投与できなかったのだ——が、かなり意識朦朧《もうろう》としていた。私が猫にしたいことをかなり自由にできる状態だった。

私が跪《ひざまず》いて、鋏でパチンパチンと切りはじめると、オリーは目を開け、ごく弱々しく抵抗しようとしたが、もとよりどうにもならず、私はもつれた毛を素早く切り進んだ。とはいえ、オリーが絶えずわずかにもがいていたので、ことさらにきちんとした仕事はできなかったが、藪の中で引っかかったりして、さぞかし不快だったに違いない、大きな見苦しい毛玉はすべて刈り取った。私のそばにはたちまち黒い毛の山が築かれた。

ふと気がついてみると、オリーはただ動いているだけではなく、私のほうをじっと見てもいた。意識こそぼんやりしていたが、しっかりと私を識別していることを猫の目は語っていた。「またおまえか！」とその目は言っていた。「おまえのやりそうなことだ！」

仕事を終えると、オリーを猫檻に入れて、麦藁の上に置いた。「ごめんよ、オリー」と私は言った。「しかし完全に目覚めるまでは、自由にしてやるわけにいかないんだ」

オリーは私に眠そうな視線を向けたが、憤怒の念は明らかだった。「おまえはまたおいらをここへ放り込んだな。なにも変わっていないな、おまえは！」

お茶の時間になるころには、猫はすっかり意識を回復したので、自由にしてやることができた。醜い毛玉がなくなってずっと見場がよくなったが、オリー自身はそれほど感激したようすはなく、私が檻を開けてやると、ほとほと愛想が尽きたという目で私を一瞥《いちべつ》して、素早く逃げ去った。

ヘレンは私の手仕事に狂喜し、翌朝擁壁の上の二匹の猫を興奮して指さした。「オリーはずいぶんすっきりしたわね！　ああ、なんとか毛玉の始末ができてとてもうれしいわ。とても心配だったの。あのこもずっといい気分になっているに違いないわ」

私は窓越しに眺めながらちょっとしたひとりよがりの満足感を覚えた。オリーは実際昨日の薄汚い動物とは似ても似つかないほどだった。私が猫の生活を劇的に変えてやり、猫を恒常的な不快感から解放してやったことは明白だった。そうした自惚れで膨らみかけた風船は、私が裏口のドアから首を出した途端に破裂した。オリーはちょうど朝食を楽しみかけたところだったが、私の姿を見ると、これまでにもまして素早く逃げ出し、遠い丘の上のほうへと姿を消した。悲しく思いながら私はキッチンへ引っ込んだ。オリーの目に映る私の評価はまた一段と下落した。沈んだ気持ちで私は紅茶を注いだ。人生は辛いものだ。

7 モーゼス——灯心草の中で見つかった猫

車から降りるには気力をふりしぼる必要があった。ダロウビーから十マイルほど走ってきたのだが、その間ずっと考えていたのは北ヨークシャーデールで一番寒い時期のことだった。このあたりがいつも一番寒そうに見えるのは雪に覆われた時期でなく、今日このごろのように丘陵地のむきだしの斜面に初雪が降って、屈んだ獣の肋骨のように白黒の筋模様がついた時だ。今目の前では農場ゲートが風に揺られ、蝶番《ちょうつがい》がギーギー鳴っていた。

車はヒーターがなく、実際には隙間風が吹き込んでいたのだが、それでも苛酷な外に比べれば楽園のようだった。私はウールの手袋をはめた手でハンドルをしばらくきつく握りしめてから、ドアを開けた。吹き込んだ風にハンドルから両手を引き千切られるようにして外へ出てドアをバタンと閉め、凍った泥道をよろめきながらなんとかゲートへと歩きはじめた。部厚いコートに身を包み、マフラーで耳まで覆っていたけれども、氷のような風が顔に突き刺さり、鼻を鞭打ち、吸い込む空気は脳天に食い込んで痛いほどだった。

ゲートを開けて、目に涙を滲《にじ》ませながら車へ戻ろうとした時、私はなにか異様なものに気づいた。泥道から少し離れたところに凍りついた池があり、まったく不透明になった水面の周囲を縁どる霜で覆われた灯心草の中に、つやのある黒く小さなものが私の目を引いたのだ。

近づいてよく見ると、小さな子猫だった。生後六週間ほどだろうか、じっと蹲《うずくま》り、きつく目を閉じていた。私は腰を屈めて毛むくじゃらのからだをそっと突っついてみた。死んでいるに違いないと思った。こんなちっぽけな生きものがこんな寒さの中で生き延びられるはずがない……ところが、子猫は生きていた。ほんのわずかな命の兆候が見えた。一瞬音もなく口を開け、すぐに閉じたのだった。

私は急いで小さな生きものを拾い上げ、コートの中へ入れてやった。車で農場の庭へ走り込むと、子牛小屋からバケツをふたつ持って出てきた農場主に叫んだ。「バトラーさん、お宅の子猫を一匹見つけてきましたよ。きっと外へさ迷い出たんでしょ

う」

バトラー氏はバケツを下に置いて、虚を突かれたような顔をした。「子猫かね？いまんところ子猫はいねえはずだが」

私が拾ってきた子猫を見せると、彼はますます怪訝《けげん》な顔になった。

「ふむ、変な猫だ。うちには黒猫はいねえからね。いろんな色の猫はいても、黒いのはいねえんすよ」

「するとどこかよそから来たに違いないですね」私は言った。「もっともこんなちっぽけなやつが非常に遠いところからさ迷ってきたとは考えにくい。ちょっと謎めいていますね、これは」

私が子猫を差し出すと、農場主は労働でふしくれだった大きな手で包み込んだ。

「おお、かわいそうにな。やっと生きているってところだな。家の中へ連れて行ってカミさんになんとか手当をしてもらおう」

母屋のキッチンではバトラー夫人が一目子猫を見て心配のあまり顔を曇らせた。

「まあ、なんてかわいそうなの！」彼女は濡れて逆立った子猫の毛を指一本で撫でつけた。「こんなにかわいい顔をしているのに」彼女は顔を上げて私を見た。「ところでどっちなんです、雄それとも雌？」

私は後脚の尻の部分を素早く見た。「雄猫ですね」

「あら、そう」と彼女は言った。「温かいミルクを飲ませてあげる前に、まずは昔からの治療法を試してみましょう」

大きな黒いガスレンジに載った上置き式オーブンのところへ行くと、彼女は扉を開けて子猫を中へ入れた。

私はにこりとした。新しく生まれた子羊が寒さの中で野ざらしになって見つかったような場合に取られる古典的な処置で、実際オーブンの中に入れると結果はしばしば劇的だった。バトラー夫人は扉を細目に開けたままにしておいたので、中にいる小さな黒い姿がなんとか見えた。子猫は自分がどうなっているのかまったく関知していないようすだった。

つぎの一時間、私は牛小屋で雌牛の脱臼《だっきゅう》した後足と格闘してすごした。重労働だが、その埋め合わせはあるものだと、仕事を終えて背骨のよじれを伸ばしながら思った。雌牛がほぼ正常に見える二本の足で立っている姿を見ると、満足感を覚えたからだ。

「いやはや大変な力仕事だ」バトラー氏はぶつくさ独り言を言った。「さあ、家の中へ入って手を洗ってくだせえ」

キッチンで茶色の陶器製流しに腰を屈めながら、私はオーブンのほうを窺いつづけた。

　バトラー夫人は笑った。「まあ、先生、まだ生きてますよ。こっちへきて、覗いてみてください」

　暗い内部にいる子猫は見にくかったが、目の焦点が合うと、私は手を伸ばして触ってみた。すると子猫は私のほうへ頭を向けた。

「元気が出てきたな」と私は言った。「この中での一時間が奇跡を引き起こしたんですね」

「めったに失敗しませんよ」農場主の妻は子猫を抱き上げた。「このこは丈夫な猫なんですね、きっと」彼女は温かいミルクをスプーンでちっぽけな口へ流し込みはじめた。「明日か明後日になれば自分でミルクをなめるようになると思いますよ」

「するとこの猫を飼うつもりなんですね？」

「もちろんですよ。モーゼスという名前にしようと思ってるんですよ」

「モーゼス？」

「ええ。だって先生はこのこを灯心草の中で見つけたんでしょう？」

　私は笑った。「その通りです。なるほどいい名前だ（予言者モーセは嬰児の時ナイル川の葦の茂みに隠されていた）」

＊

二週間ほど後、私はまたバトラー農場へ行き、モーゼスの姿を捜しつづけた。農家のひとたちは猫をめったに家の中で飼わない。そこで、もしあの黒い子猫が生き延びたとすれば、建物の周囲にいる猫の群れに加わったのだろうと私は推測した。

農場の猫はかなり楽しい暮らしをしている。撫でられたり甘やかされたりすることはないかも知れないが、私の目から見ると、いつも自由に、自然に暮らしているように思える。ネズミを捕まえるのが仕事かも知れないけれども、たとえ猫たちにその気がなくとも、食べものはたっぷりと手近にある。ここにはミルクの入ったボウル、あそこには犬の餌皿といった具合で、なにかおいしそうなものが皿に残っていればいつでも略奪できる。その日私はずいぶんたくさんの猫を見た。神経質にさっと逃げるのもいれば、ひとなつこく寄ってきてゴロゴロ喉を鳴らすのもいた。敷石を優雅に走り抜けるぶち猫や牛小屋の端っこの暖かい麦藁の中でからだをまるめている三毛猫もいた。猫は居心地のいいところをよく知っている。バトラー氏がお湯を取りに行った隙に、私は素早く去勢牛の小屋を見た。干し草棚の桟《さん》の隙間から白い雄猫が静かに私のほうを見ていた。どうやらその猫はそこで昼寝をしていたようだ。だが、モーゼスの姿はどこにも見えなかった。

洗った腕を拭き終えて、それとなく黒い子猫の話題に触れようかと思っていると、バトラー氏が私にジャケットを差し出しながら言った。

「先生、ちょっと時間があったらいっしょにきてくだせえ。見せたいもんがあるんすよ」

彼の後について私は奥の戸口を抜け、通路を通って、低い屋根の細長い豚舎へ入って行った。中ほどあたりの囲いの前で立ち止まると、彼は内部を指さした。

「あそこを見てくだせえ」と彼は言った。

私は仕切り壁越しに身を乗り出した。おそらく私の顔に驚きの表情が現れたのに違いない。農場主はどっと笑い出した。

「どうやら先生もこういうのは見たことねえようですな」

　私は信じがたい気持ちで大きな雌豚を見下ろした。豚は気持ちよさそうにのびのびと横になり、一腹の子豚に授乳していた。子豚は十二匹ほどいて、ずらりと肌色のからだを並べていたが、その真ん中ほどに黒く毛深く場違いな感じのものが混じっていた。ほかでもなくモーゼスだった。子猫は乳首をひとつ口にくわえ、両側の滑らかな肌の仲間たちに負けず劣らず夢中になって楽しそうに栄養豊かな乳を吸っていた。

「なんとまあ……」私は絶句した。

　バトラー氏はまだ笑っていた。「きっと先生もこんなのはこれまで見たことねえと思ってましたよ。もちろんわっしも初めてでさね」

「しかしどうしてこんなことになったんです？」私の目は依然として釘づけになったままだった。

「カミさんの考えすよ」と彼は答えた。「子猫がミルクをなめはじめると、カミさんは家畜小屋の中にどこか暖かい場所はないかと捜し回って、この囲いに目を留めたんでさあ。雌豚のバーサがちょうど子供を産んだところで、わっしがここにヒーターを設置したもんすからね。広くて居心地のいい場所になったんすよ」

「なるほど居心地がよさそうだね」私は頷きながら言った。

「そこでカミさんはモーゼスをここへ連れてきて、ミルクのボウルも置いておいたんす」と農場主は続けた。「しかしちびのやつ、ヒーターのところにはろくにいなかったんす。わっしが二度目に覗きにきてみると、すでに子猫は子豚の仲間入りをしていたんすよ」

私は肩をすくめた。「動物を相手にしていると毎日なにか新しい発見があると言われているけど、こればかりは私もこれまで聞いたことすらないですね。ともあれ子猫はうまくやっているようじゃないですか。しかしほんとうに豚の乳だけで育っているんでしょうかね？　それともまだボウルのミルクも飲んでいるんですか？」

「どうやら両方やってるようですが、よくわからないっすね」

モーゼスがどういう割合で栄養を取っていたにせよ、ともあれ急速に大きくなり、つややかでハンサムな猫になった。毛並みの異様に美しい光沢が餌に含まれた豚乳のせいだったのかどうかはわからない。バトラー農場を訪ねるたびに私は必ず豚小屋を覗いた。モーゼスの代理母となったバーサはこの毛深い闖入者《ちんにゅうしゃ》をなんらおかしいと思わないらしく、うれしそうにブーブー言いながら、ほんものの子豚たちにそうするように、さりげなく子猫を鼻で押しやったりしていた。

モーゼスのほうは豚社会を非常に居心地がいいと思っているようすだった。子豚た

ちがからだを寄せ合って眠りに就く時、子猫もそのかたまりのどこかに入っていた。八週間で子豚たちが乳離れをさせられると、モーゼスはバーサを独り占めしてまとわりつき、一日の大半を雌豚と過ごしていた。

猫と豚の共同生活はその後何年も続いた。モーゼスはしばしば豚小屋の中に入り込んで、雌豚の心地よい巨体にうれしそうにからだをこすりつけていたが、私の記憶に最も鮮明に残っているのは、モーゼスが大好きな場所にしゃがんでいる姿だ。仕切り壁の上にしゃがんで豚小屋の中を覗いている姿は、遠い昔に初めて与えられた暖かい住処をなつかしく思い出しているようだった。

8
フリスク――死の淵から何度も甦った猫

　時々、犬や猫の患者が死ぬと、飼い主たちは死体を私たちのところへ持ってきて処理を頼んだ。そういう時はいつもながら悲しいものだった。だからディック・フォーセット老人の顔を見た時、私は虫の知らせのようなものを感じた。

　彼は急ごしらえの猫入れ箱を診察台に載せ、沈んだ目で私を見た。

「フリスクさ」と彼は言った。彼の唇はそれ以上なにも言えないかのように震えていた。

　私はなにも質問せずに、ダンボールの箱を縛った紐《ひも》をほどきはじめた。ディックにはちゃんとした猫入れ箱を買う余裕がなく、側面に穴を開けた手作りのこの箱を前から使っていた。

私は最後の紐の結び目をほどき、中のじっと動かない猫を見た。フリスクだ。私がとてもよく知っていた、いたずら好きなつやつやとした黒い小さな生きもので、いつもゴロゴロ喉《のど》を鳴らし、ひとなつこく、ディックの話相手にして友だちだった。

「ディックさん、フリスクはいつ死んだんです？」と私はそっと訊いた。

彼は痩《や》せこけた顔をさすり、もつれた白髪に手をやった。「それが、その、今朝起きたら、これがベッドのそばで伸びていたんだよ。しかし……ほんとうのところ、まだ死んでるのかどうかよくわからないんだがね、ヘリオット先生」

私はもう一度箱の中を覗いた。息をしている気配はなかった。ぐったりしたからだを診察台から持ち上げ、なにも見ていない目の角膜に触れた。反応はなかった。聴診器を手にして猫の胸に当てた。

「心臓はまだ動いていますよ、ディックさん。しかしごくごく弱い鼓動ですが」

「すぐにも止まりそうだということかね？」

私はためらった。「そうですね、どうもそんなふうな音に聞こえるんですが」

私がしゃべっているうちに、猫の胸郭がわずかに膨らみ、そしてしぼんだ。

「まだ呼吸している」と私は言った。「しかしほとんど虫の息ですね」私は猫を徹底的に調べてみたが、なんの異常も見つからなかった。目の結膜の色は良好だった。実際、どこにも異常はなかった。

　私は滑らかな小さいからだをひと撫でした。「これは難問ですよ、ディックさん。この猫はいつも元気いっぱいでしたよね——実際はねまわる《フリスク》という名前がぴったりの猫だったのに、いまここにこうしてぐったりしている。私にはどうしてなのかさっぱりわかりませんね」

「発作かなにか起こしたってことなのかね？」

「そういう可能性もあると思いますが、その場合こんなに完全に意識を失うとは思えないんですよ。頭を殴られでもしたんだろうか」

「それはないと思うね。わしが寝る時、フリスクはまったく正常だったんだ。それに夜間に外へ出ることはない」老人は肩をすくめた。「ともかく、見込みは薄いということなのかね？」

「そう思うんです、ディックさん、いまはただやっと生きているだけですからね。しかし気つけ薬を注射しておきます。注射がすんだら家に連れ帰って、暖かくしてやってください。もしフリスクが明日の朝までもったら、またここへ連れてきてくれませんか。どんな具合か診たいんです」

　私はつとめて楽観的な調子でしゃべろうとしたが、フリスクにはもう二度と会わないことになるだろうという気が強くしたし、老人も同じことを感じているのがわかった。

箱の紐を縛る彼の手は震えていた。私たちは玄関に到達するまでなにもしゃべらなかった。彼はそこでちらりと私のほうを向いて、頭を下げた。「どうもありがとう、ヘリオット先生」

足を引きずりながら通りを歩き去る彼の後ろ姿を私は見送った。彼は死にかけたペットを抱えてだれもいない小さな家へ帰ろうとしているのだった。彼の妻は何年も前に亡くなっていた。私自身はフォーセット夫人にお目にかかったことは一度もなかった。彼は孤独な老齢年金生活者だった。切り詰めた生活を送っていた。もの静かで親切なひとで、あまり外出せず、友だちもほとんどいないようだったが、しかし彼にはフリスクがいた。この猫は六年ほど前に彼のところへのこのこやってきて、彼の生活を一変させた。静かだった家の中で楽しく動き回るものができ、じゃれたり、いたずらしたり、後をついて回ったり、脚にからだをこすりつけたりして、老人を笑わせた。ディックはもはや孤独でなくなり、歳月を重ねるにつれて友情の暖かい絆が強まっていくのを私は見守ってきた。実際、彼らの関係は友情以上のもので、老人はフリスクによりかかって生きているように見えた。それがいまこうなったのだ。

開業獣医をしていれば、こういうことはよくあることだ、と私は廊下を戻りながら考えた。ペットはそれほど長生きしない。しかし今回私はいつも以上に落ち着かない気分だった。患者の病気がなんなのか、さっぱりわからなかったからだ。まったくの五里霧中だった。

翌朝、私はディック・フォーセットが待合室で膝にダンボール箱を載せて坐っているのを見て驚いた。

私は彼をじっと見た。「どうなりました？」

彼は答えなかった。彼はなんとも言いようのない顔をして私とともに診察室へ行き、紐をほどいた。箱が開いた時、私は最悪の事態を覚悟したが、びっくりしたことに猫が勢いよく診察台へ跳び出して、私の手に顔をこすりつけ、オートバイのように喉を鳴らした。

老人はやつれた顔を皺《しわ》だらけにして笑った。「ねえ、先生、これをどう思うかね？」「どう思っていいかわかりませんね、ディックさん」私は猫を慎重に診察した。申し分なく正常だった。「ただ私にわかっているのは、うれしいってことだけです。まるで奇跡のようですね」

「いや、奇跡じゃないね」と彼は言った。「先生が打った注射のおかげだ。あれが驚異をもたらしたんだ。ほんとうにありがとう」

そう言ってくれるのはありがたいことだが、ことはそう単純ではなかった。これにはなにか私に理解できないわけがあるのだ。が、気にするのはやめよう。ともあれハッピー・エンドになったことは感謝感激だ。

＊

この出来事が愉快な思い出となりかけた三日後のこと、ディック・フォーセットがまた箱を持って診療所へ現れた。箱の中にはフリスクが前と同じように身じろぎもせず意識を失って入っていた。

すっかりあわてふためいて、私は診察をやり直し、注射をして送り出すと、翌朝、猫は正常に戻った。それからというもの、私はあらゆる獣医が熟知している状況に置かれた。不可解な症例を抱え込んで、差し迫った運命的な気分とともになにか悲劇的なことが起こるのを待つという状況だ。

なにごともなくほぼ一週間ほど過ぎたころ、ディックの隣人ミセス・ダガンが電話をかけてきた。

「フォーセットさんの代わりにかけているんですが、彼の猫が病気なんです」

「どんな具合ですか？」

「それはもう、ただぐったりして、意識がなくなったみたいなんです」

私はもう少しで悲鳴を上げそうになった。「いつそうなったんです？」

「今朝起きて見つけたようです。フォーセットさんは先生のところへ猫を連れて行けないんです――本人がかなり弱ってしまって、寝ているんです」

「それはお気の毒に。私がすぐそちらへ行きますよ」

事態は前とまったく同じだった。ほとんど死んだような小さな生きものがディックのベッドにぐったりと寝ていた。ディック自身はぞっとするほど真っ青で、前よりいっそう痩せこけ、ひどい顔つきだったが、それでもなんとか笑顔を見せた。

「どうやらフリスクは先生の魔法の注射をもう一本必要としているようなんだ、ヘリオット先生」

私は注射器を満たしながら、確かにこのケースではある種の魔法が働いているが、その秘密はこの注射ではないと考え、内心穏やかでなかった。

「明日また来てみますよ、ディックさん」と私は言った。「あんた自身がもっと元気になるといいですね」

「ああ、わしはこのちびが元気になりさえすれば大丈夫さ」老人は手を伸ばして、猫のつやつやした毛を撫でた。腕は痩せ衰え、骸骨のような顔の目は心底心配そうだった。

私は殺風景な小さな部屋を見回し、もう一度奇跡が起こることを願った。

翌朝、フォーセット氏の家をまた訪ね、フリスクがベッドの周りを駆け回り、老人が手に持って垂らしている糸にじゃれついているのを見ても、私はそれほど驚かなかった。ただ、大いにほっとしながらも、息苦しいほどの無知の霧にこれまでになく包み込まれてしまったような気がした。いったいこれはなんなのか？　なにもかもまったくわけがわからなかった。こういう兆候を示す既知の病気はなにもなかった。書斎にある全部の獣医学書を読んでも役に立たないだろうという強い確信があった。

　ともあれ、弓なりになったり、私の手にじゃれついて喉を鳴らしたりするかわいい猫を見ていると十分に報われた気分になったし、特にディックにとってはこの猫はすべてだった。彼はくつろぎ、にこにこしていた。
「いつもいつもこの猫をちゃんと治してくれる先生にはお礼の言いようがないね、ヘリオット先生」そう言いながらも彼の目は一瞬心配そうになった。「でもこんなことがこれからも続くんだろうかね？　いつかは元に戻らなくなるんじゃないかと恐れているんだ」
　確かにそれは問題だった。私も恐れていたが、つとめて陽気にしなければならなかった。「おそらくこれは一時的なものですよ、ディックさん。もうこれ以上再発しないだろうと私は思いますね」しかし私としてはなにひとつ確約できないし、ベッドに寝ているひ弱な感じの老人もそれを知っていた。

私がミセス・ダガンに見送られて外へ出ると、地区看護婦が玄関前に停めた車から降りてくるところだった。

「こんにちは、看護婦さん」と私は言った。「フォーセットさんのようすを見にきたんですか？　気の毒に彼は病気なんですね？」

彼女は頷いた。「ええ、そうなんです。あまり思わしくないんです」

「どういうことです？　なにか重い病気でも？」

「ええ、そうなんです」彼女は堅く口を結んで私から目をそらした。「もうあまり長くないかも知れません。癌なんです。急速に悪くなっているんです」

「ほんとですか！　気の毒に。つい最近彼は自分で猫を私の診療所へ連れてきたんですが、なにも言いませんでしたね。彼は知っているんですか？」

「ええ、知ってますよ。でもいかにもフォーセットさんらしいですね、ヘリオット先生。すごく我慢強いんです。なんでも言ってくれればいいんですけど、ほんとうは」

「すると彼は……彼は……痛みがあるんですか？」

彼女は肩をすくめた。「このごろ少し痛み出しているんですが、お薬でできるだけ楽にできるようにしているんです。必要な時は注射を打ちますし、わたしが来られない時に自分で飲めるお薬も用意してあるんです。彼は手がすごく震えるものですから、お薬を瓶からスプーンへ注げないんです。ダガンさんが彼のために喜んでお手伝いするとおっしゃってるんですが、彼は独立心が強いものですから」看護婦は一瞬にこりとした。「それで混合薬をお皿に注いで、そこからスプーンで掬《すく》って飲むんです」

「お皿……？」霧の中のどこかでかすかなあかりがきらめいた。「どんな混合薬なんです？」

「ああ、ヘロインとペチジン（鎮痛薬）です。

アリスン先生がよく処方するお薬です」

私は彼女の腕をつかんだ。「私もあなたといっしょに戻りますよ、看護婦さん」

私が再び姿を現すと、老人はびっくりした。「どうしたんだね、ヘリオット先生？なにか忘れものかね？」

「いや、違うんです、ディックさん。あんたにちょっと訊きたいことがあるんです。あんたの薬はおいしい味なんですか？」

「ああ、甘くておいしいね。味が悪いってことはまったくない」

「で、あんたはそれを皿に注ぐんですね？」

「その通り。わしの手はちょっと耄碌《もうろく》しとるんでね」

「で、あんたがその薬を寝る前に飲んだ後、時には皿に薬が少し残っているんじゃないですか？」

「ああ、残ってる。なんでそんなことを？」

「あんたはその皿をベッドのそばに置いておくし、フリスクはあんたのベッドで眠るってわけだ……」

老人はじっと寝たまま私を見つめた。「つまりこいつが残りをなめているんじゃないかってことかね？」

「そうなんです、間違いない」

ディックは顔をのけぞらせて笑った。長い歓喜の笑いだ。「それでこいつは眠りこけるってわけか！　それなら不思議はないぞ！　わしだって手もなく眠くなるんだからな！」

私も彼といっしょに笑った。「ともかく原因はわかりましたね、ディックさん。これからは薬を飲み終えたら、皿を食器戸棚にしまっておくんですね」

「そうするよ、ヘリオット先生。そうすればフリスクは二度とあんなふうに伸びたりしないんだろうね？」

「ええ、絶対にないですね」

「そうか、それなら安心だ！」彼はベッドで起き上がると、かわいい猫を抱いて頬ずりした。それからこれ以上ないほど満足そうな溜め息をついて、私に微笑みかけた。「ヘリオット先生」と彼は言った。「わしはこれでもう心配することはなにもなくなったよ」

私は通りへ出て、ミセス・ダガンに二度目の別れを告げながら、振り向いて小さな家を見た。『心配することはなにもなくなった』って？　ああいう言葉が彼の口から聞けるとはすばらしいことですね」

「ええ、ほんとうに。それに彼は本気で言ってるんですよ。自分自身のことはまったくかまわないんです」

＊

ディックとはその後二週間ほど会わなかった。私がダロウビーの小さなコッテージ・ホスピタル（住み込み医師のいない病院）に友人の見舞いに行ったところ、同じ病棟の片隅のベッドで寝ている老人を見つけた。

私はそのベッドのほうへ行って、彼のそばに坐った。彼の顔はどうにもならないほどに痩せこけていたが、落ち着いた表情だった。

「やあ、ディックさん」と私は言った。

彼は眠そうに私を見て、囁き声でしゃべった。「ああ、これは、ヘリオット先生」

彼はしばらく目を閉じていたが、やがてかすかな笑みを浮かべて見上げた。「うちの猫がどうしてあんなふうになったかがわかって、わしはうれしいよ」

「私もですよ、ディックさん」

再び間があった。「ダガンさんが猫を引き取ってくれたんだ」

「ああ、知ってます。いいひとに貰われてよかったですね」

「そう……よかった……」声はますます細くなった。「でも、あいつがここにいてくれたらなあって、よく思うんだ」骨ばった手が掛け布団を撫で、彼の唇がまた動いた。私は身を乗り出して耳を近づけた。

「フリスク……」と彼は言っていた。「フリスク……」やがて彼の目は閉じ、彼が眠り込んだことがわかった。

翌日、ディック・フォーセットが死んだという知らせを私は聞いた。おそらく私は彼がしゃべるのを聞いた最後のものだったのかも知れない。不思議と言えば不思議だが、あれはいかにも彼にふさわしい最期の言葉だった。彼は愛する猫を呼びながら死んで逝ったのだ。

「フリスク……フリスク……」

9　オリーとジニー——最大の勝利

私と二匹の山猫との関係に雪解けが来ることなく何カ月も過ぎて行くうちに、オリーの長い毛が以前のみすぼらしい状態に戻りはじめているのに気づいて、だんだん心配になった。見慣れた毛玉やもつれ毛が再び姿を現し、一年もするとまったく前と同様のひどさになった。なんとかしてやらなければならないという気持ちは日に日に強まっていった。しかし、もう一度罠にかけられるだろうか？　やってみるしかなかった。

私は前回と同じ準備をして、ヘレンがネンブタール入りの餌《えさ》を擁壁の上に置いたが、今回、オリーはくんくん匂いを嗅《か》ぎ、ぺろりとなめただけで歩き去った。つぎの餌やりの時にも試してみたが、猫は深い疑いを抱いて餌を調べ、背を向けた。なにかおかしいと猫が気づいていることは明らかだった。

キッチンの窓のそばのいつものところをうろうろしながら、私はヘレンのほうを振り向いた。「なんとかオリーを捕まえるしかないな」

「捕まえる？　網を使ってということ？」

「いや、いや。あれはオリーが子猫だったからできたんだ。いまでは私はあの猫のそばにも寄れない」

「では、どうするの？」

私は擁壁の上の薄汚れた黒い猫を窓越しに見た。「私のアイデアはだね、きみが餌をやる時に、私がぴったりきみの後ろに隠れて行って、あれをわしづかみにして檻に放り込むというものなんだ。そうすれば、診療所へ連れて行って全身麻酔をかけ、きちんと毛の手入れをしてやれる」

「わしづかみ？　檻に閉じ込める？」ヘレンは信じられないという調子で言った。「そんなことできるわけないと思うわ」

「うん、わかっている。しかし昔はそうやって二、三匹の猫をわしづかみにしたし、私の動きは素早いんだ。私がうまく隠れていることができさえすればいいんだ。明日やってみよう」

翌朝、ヘレンはおいしい新鮮な生ハドック（タラの一種）の切り身をいくつか擁壁の上に置いた。それは山猫たちの大好物だった。調理ずみの魚はことさらに好きというわけではなかったが、生の魚は抗いがたかった。蓋《ふた》の開いた檻が見えないところに隠されていた。山猫たちは擁壁の上を忍び足で歩いてきた。ジニーの毛はつややかに輝き、オリーの毛は見るからに哀れな状態で、もじゃもじゃに乱れ、醜い毛玉が首やからだからぶらさがっていた。ヘレンはいつものように大騒ぎで二匹をちやほやしてから、二匹が上機嫌で餌に取りかかると、私が隠《かく》れ潜《ひそ》んでいるキッチンへ戻ってきた。

「さあ、いまだ」と私は言った。「もう一度ごくゆっくりと歩いて出てくれ。私はきみのすぐ後ろにへばりついて行く。きみがオリーに近づいても、あれは餌に集中しているだろうから、私に気づかないかも知れない」

ヘレンはなにも言わなかったが、私は彼女の背後に頭から爪先までぴったりとへばりついた。

「いいぞ、出発進行」私は彼女の左脚を私の左脚で突っつき、ふたり一体となって動きながら、すり足でドアを潜った。

「こんなのばかばかしいわ」と彼女は泣き言を言った。「ミュージック・ホールのお芝居みたいじゃない」

彼女の項《うなじ》に鼻をこすりつけたまま、私は彼女の耳に囁いた。「静かに、黙って進んで」

私たちは二人袴《ふたりばかま》よろしく擁壁沿いに進んで行き、やがてヘレンは手を伸ばしてオリーの頭を撫ではじめたが、山猫はハドックにあまりにも夢中で目を上げなかった。オリーは私から二フィートほど離れた胸の高さのところにいた。これほどの絶好の機会はまたとないだろう。ヘレンの横から素早く手を伸ばすと、オリーの薄汚い首をつかんで持ち上げ、激しくじたばたする黒い四肢を檻に押し込んだ。二、三秒の出来事だった。蓋をがちゃんと閉めると、オリーは足を一本自棄的に突き出したが、私はそれを押し戻し、スティールの差し金をはめた。いまや逃げ道はなかった。

私は檻を擁壁の上に載せ、オリーと目を合わせたが、檻の金棒越しに睨む非難の目を見てたじろいだ。「ああ、冗談じゃない、またこんな目に遭うなんて！　信じられない！」とその目は言っていた。「おまえの背信行為には切りがないのか？」

実を言うと、私のほうもかなり気分が悪かった。哀れな山猫は私の襲撃に脅え、引っ掻《か》いたり咬《か》みつこうとしたりしなかった。この前の時と同じだった――オリーはただ逃げることだけを考えていた。この猫が私をこの上なく毛嫌いしても責められないだろう。

しかしながら、最終的結果は、今度もまた、すばらしいハンサムな猫への変身なのだと、私は自分に言い聞かせた。「おまえは自分がどんなにハンサムなのか知らないんだな」と私は診療所へ車を走らせながら、助手席の檻にうずくまり、脅えきっている小さな生きものに話しかけた。「今度はおまえの毛をきちんと切ってあげるよ。そうすればどの猫よりもハンサムになって、気分もよくなるだろう」

シーグフリードが協力を申し出てくれて、ふたりでオリーを手術台に載せた。震える山猫はなすがままに身を任せ、麻酔の静脈注射にも抵抗しなかった。猫が穏やかに眠って横たわると、私は激しい喜びを感じながら、もつれにもつれた毛を刈り込みにかかった。チョキチョキパチパチと切ってから、全体に電気バリカンをかけ、最後に長々とブラシをかけて、ほんの小さなもつれ毛に至るまで取り去った。前回は間に合わせのカットをしただけだったが、今回は完璧なカットだった。

すべてが終わって私がオリーを持ち上げて見せると、シーグフリードは笑った。

「どこのキャット・ショーに出しても入賞しそうだよ」

彼のこの言葉をもう一度思い出したのは、翌朝、二匹の山猫が朝食を取りに擁壁の上に現れた時だった。ジニーはいつものように美しかったが、血を分けた兄弟のオリーが滑らかな光沢のある毛皮を太陽の光で輝かせながら気取って歩いてくると、ジニーもほとんど顔負けだった。

ヘレンはオリーの姿にうっとりとして、それほどの変身は信じられないという顔で猫の背中に手を走らせつづけた。私のほうはもちろんいつもの場所で、キッチンの窓からこっそりと覗き見していた。私がオリーに姿だけでも見せられるようになるには長い時間がかかりそうだった。

＊

私の株がまたまたがた落ちになったことはたちどころに明らかになった。オリーを牧草地のほうへ一気に追い払うには、私が裏口からほんの一歩でも出さえすればよかったからだ。状況がきわめて悪くなったので、私はそれを憂慮しはじめた。

「ヘレン」と私はある朝言った。「オリーの件が私の神経に応えはじめているんだ。なんとかできる方策はないものだろうか?」

「あるわよ、ジム」と彼女は言った。「オリーをほんとうによく知るようになりさえすればいいのよ。そうすれば猫のほうでもあなたのことを知るようになるわ」

私は浮かない顔で彼女を見た。「しかしだね、もしきみがオリーに訊いてみるなら、オリーのほうでは私のことを知りすぎていると言うかも知れないよ」

「まあ、そうかも知れないけど、でも考えてみて。わたしたちがあの猫を飼いはじめてからもう何年にもなるけど、その間ずっと猫たちは緊急の時以外はあなたの姿をろくに見ていないんじゃないかしら。わたしは餌やりおばさんで、毎朝毎晩あのこたちに餌をやり、話しかけ、かわいがってきたから、猫たちのほうもわたしのことを知っていて、信頼しているんだわ」

「その通りさ。しかし私にはただ時間がなかったんだ」

「もちろんなかったわ。あなたの生活はいつもいつも大忙しですからね。家に帰ってきたかと思うと、すぐにまた出て行くんですもの」

私は頷きながら考えた。まさにヘレンの言う通りだった。数年来、私は二匹の山猫に執着し、餌を求めて斜面を駆け下りてきたり、牧草地の長い草の中で遊んだり、へレンにかわいがられたりする姿を楽しんできたが、猫たちにとっては私は見知らぬものの部類なのだ。これまでの長い時間があっと言う間に過ぎ去ってしまったことに気づき、私は心の痛みを覚えた。

「おそらくもう手遅れだろうな。私にできることがなにかあると思う？」

「ええ」と彼女は言った。「餌をやることから始めるのよ。なんとか餌をやる時間を見つけることね。それはまあ、あなたがいつもいつも餌をやれないことはわかっているわ。でもほんの少しでも時間があったら、餌を持って外へ出て行ってみることね」

「つまりこれは欲得ずくの愛情の問題にすぎないときみは考えているわけ？」

「それは絶対に違うわ。わたしがあのこたちといっしょにいるところをあなたもしょっちゅう見ているでしょう。猫たちはわたしがたっぷり時間をかけてかわいがってやるまでは、餌に見向きもしないのよ。あのこたちが最も欲しがっているのは思いやりと親しみなの」

「しかし私には希望はないね。猫たちは私を見るのもいやがっている」

「そこは辛抱強くやらないとだめね。わたしの場合もあのこたちの信頼をかちえるのに長い時間がかかったわ。特にジニーがそう。あの猫はいつもびくびくしているの。いままでもわたしがあまり速く手を動かすと、逃げて行くわ。いろいろあったけど、わたしはオリーのほうがまだ希望が持てると思うわね――あの猫にはとても懐の深いひとなつこさがあるの」

「わかった」と私は言った。「餌とミルクをくれ。いまから始めよう」

それは私の人生のひとつのささやかな物語の始まりだった。機会があるごとに私は猫たちを呼び、擁壁の上に餌を置いて、そのまま立って待つ係となった。最初は、いくら待っても空しかった。二匹の山猫が薪小屋から私のほうを見ているのはわかった。白黒の顔と、黄色と金色と白の顔が麦藁の住処から私のようすを窺っていた。長い期間、二匹は私が家の中に引っ込むまで、どうしても斜面を下りてこようとしなかった。私の不規則な仕事のために、新しいやりかたを規則的に続けることはできず、時々、私が早朝の呼び出しをうけたような場合、山猫たちは朝食を時間通りにもらえなかった。ところがそんな折のある朝、朝食が一時間以上も遅れた時のことだ。飢えが恐怖に打ち勝ったのか、私がまだ擁壁のそばにじっと立っている間に、二匹が用心しながら下りてきたのだ。猫たちは不安そうに私のほうをちらちら見ながら急いで食べて、急いで逃げて行った。私は満足してにこりとした。それは前進の第一歩だった。

その後、猫たちが食べている間、そばにただ立っているだけの長い期間があり、やがて二匹は私を景色の一部として見慣れるようになった。そこで私は慎重に片手を伸

ばそうとしはじめた。最初二匹はそれにたいして後じさったが、日が経つにつれ、私の手が徐々に脅威でなくなっていくようすが目に見えてわかってきて、私の希望は着実に高まっていった。ヘレンが予言したように、ジニーはほんのちょっとした動きでも私から率先して逃げようとしたが、オリーのほうはいったん逃げてから、値踏みするような目で私を振り返りはじめた。あたかも過去のことはできれば忘れて、私にたいする評価を変えたいと思っているかのようなそぶりだった。無限の忍耐心を発揮して、一日一日、私は手をオリーのほうへ少しずつ、少しずつ近づけていった。ついにオリーがじっと立ち止まって、私が人差し指で頬に触るのを許してくれた瞬間は、ま

さに記念すべき一瞬だった。私がそっと毛をさする間、オリーは明らかに友好的な目で私を見つめ、それから遠ざかって行った。

「ヘレン」と私はキッチンの窓のほうを振り向いて言った。「ついにやったぞ！　オリーとようやく友だちになれそうだ。きみがしているように私もあの猫を撫でさすれるようになるのは、もう時間の問題だ」私は不条理な喜びと達成感でいっぱいになった。それはあらゆる種類の動物を毎日扱っている人間の反応としてはばかげているように思えたが、私はこの特別な猫との友好的な関係がこれから長い歳月にわたって続くものと期待した。

私の期待は外れた。その時はオリーが四十八時間以内に死ぬだろうということを、いくら私でも予想できなかったのだ。

翌朝のことだった。ヘレンが裏庭から私を呼んだ。取り乱した声の調子だった。

「ジム、早く来て！　オリーが！」

私は外へ飛び出し、斜面の一番上の薪小屋近くに立っているヘレンのところへ駆け寄った。ジニーはそこにいたが、私に見えるオリーの姿は、草の上の黒っぽい輪郭のはっきりしないものにすぎなかった。

私がオリーのほうへ屈み込むと、ヘレンが私の腕をつかんだ。「このこになにがあったの？」

　猫はじっと動かなかった。四肢を硬く突っ張り、目をまるく見開き、すさまじい悪寒のために背中をまるくしていた。

「どうやら……どうやらオリーは死んでしまったようだ。ストリキニーネ（中枢神経興奮剤）中毒みたいな感じがする」しかし、私がしゃべっている間に、猫がかすかに動いた。

「ちょっと待って！」と私は言った。「オリーはまだ生きている。しかし虫の息だ」どうやら悪寒が収まったようで、四肢を曲げることができたし、私が持ち上げても再発しなかった。「これはストリキニーネではないな。似ているけれども、違う。脳のなにか、おそらく卒中だろう」

　口の渇きを覚えながら斜面を下り、私はオリーを家の中へ運んでそっと寝かせた。猫の呼吸はほとんど感じ取れないほどに弱かった。

　ヘレンが涙声で言った。「これからどうするの？」

「これから診療所へ連れて行く。シーグフリードと私にできるあらゆる手当をしてみる」私は彼女の濡れた頬にキスし、車のほうへ駆け出した。

　シーグフリードと私はオリーに鎮静剤を打った。と言うのも、猫が四肢で漕ぐような動きをしはじめたからだ。それからステロイドと抗生物質を注射し、静脈から点滴を始めた。私は大きな快復檻で足を弱々しく震わせながら横たわるオリーを見た。

「これ以上私たちにできることはないね」

シーグフリードは頷いて、肩をすくめた。彼は診断について私と同じ意見だった。卒中、発作、脳出血、その他なんであれ、確実に脳が原因だった。私と同様にシーグフリードも絶望していることがよくわかった。

私たちはその日一日中オリーの看病をした。午後の一時期、ごく短い時間ながら快方に向かっているように思える時があったが、夕方にはまた昏睡《こんすい》状態に陥り、夜のうちに死んだ。

私はオリーを家に連れ帰り、車から持ち上げた時、その滑らかな毛玉のない毛並みが、命が果てたいまとなっては、なにか不適切なもののように思われた。薪小屋のすぐ後ろにオリーを埋めた。そこはこの猫が何年もの間眠った麦藁の住処から二、三フィートのところだった。

獣医といえども、ペットを失った時はほかのひとたちとなんら変わらない。ヘレンと私は惨めだった。時の経過が私たちの心の傷を鈍らせてくれればいいと思うだけだったが、私たちには扱わなければならないもうひとつの深刻な問題があった。ジニーはどうなるか、ということだった。

二匹の山猫は私たちの生活で一体となっていたので、私たちは二匹をべつべつに考えたことがなかった。ジニーにとってオリーがいなくては世界が不完全になるのは明らかだった。数日間、雌猫はなにも食べなかった。私たちは雌猫の名前を何度も呼んだが、ジニーは薪小屋からほんの二、三ヤード出てきて、怪訝そうに周囲を見回すだけで、また寝床へ戻って行くのだった。それまでの長い長い歳月、この雌猫はひとりで斜面を下りたことはなかったのだ。その後の二、三週間、絶えずきょろきょろあたりを見回しては仲間を捜し求めるジニーの困惑した姿は、私たちが目撃しなければならなかった最も悲痛な姿のひとつだった。

ヘレンは数日間餌をジニーの住処に運んでやり、やがてなんとかなだめすかして擁壁へ来るようにさせたが、雌猫はあっちこっちようすを窺ってからでなければ絶対に餌に顔を近づけなかった。依然としてオリーが現れていっしょに餌を取るのを待っているのだった。

「ジニーはとても寂しがっているわね」とヘレンは言った。「これからはいままで以上に一生懸命かわいがってやらないといけないわ。これからはわたしは外であのことと話す時間をもっと増やすことにする。それにしてもあのこを家の中で飼えたらいいのにね。そうすれば寂しがらせずにすむんだけど、絶対家には入らないこともわかっているわ」

私は小さな生きものを見ながら思った――擁壁に一匹しか猫がいない景色に見慣れる時が来ることがあっても、ジニーが暖炉のそばに坐り、ヘレンの膝に乗っているところを現実に見るのは不可能な夢にすぎないだろうと。「そう、きみの言う通りだが、もしかすると私にもなにかできるかも知れない。私だってなんとかオリーと友だちになれたんだ。今度はジニーに試してみるよ」

私には自分が長期にわたる、ことによると絶望的な挑戦に取り組もうとしているのだということがわかっていた。三毛猫ジニーはいつもオリーより臆病だったからだが、私は不退転の決意で目的を追求した。食事の時、その他機会がある時はいつでも、裏口から外へ出て行き、猫撫で声で呼びかけ、手招きした。私から餌を受け取ることはしたが、それにもかかわらずジニーは長いこと私を近づけようとしなかった。やがて、おそらくは仲間がひどく欲しかったので、私でもいいと思ったのだろう、私がオリーにしたように指で頬に触っても後じさらず、そのままにしている日がやってきた。

その後の進み具合はゆっくりだったが、着実だった。最初の週は頬に触るだけだったけれども、つぎの週は頬を撫でることができ、さらにつぎの週は耳に触れ、やがては猫の全長を片手で撫で、尻尾の付け根をくすぐれるようにまでなった。それから後

は夢にも考えなかったような馴れ馴れしさが徐々に生まれ、最後には餌を見る前に、何度も擁壁の上を行ったり来たりして、何度も何度も背中をまるめてうれしそうに私の手にこすりつけ、からだで私の肩のあたりをこすったりするようになった。こういう毎日の馴れ馴れしい行為の中でジニーのお気に入りの仕草のひとつは、私と鼻と鼻を押しつけ合って、しばらくじっと立ったまま互いの目を見合うことだった。
　何カ月か後のある朝のこと、ジニーと私はこの姿勢を取っていた。猫は擁壁の上にいて鼻を私の鼻にくっつけ、私の目を覗き込んで、私のことをすばらしいと考え、いくら見ても見飽きないと思っているかのように、私に見とれていた。その時、私の背

後から物音が聞こえた。

「どうやら獣医さんがほんとうの仕事を成し遂げたみたいね」とヘレンがそっと言った。

「そう、幸せな仕事さ」と私は姿勢を変えずに、二、三インチ先から私の目をじっと見つづけ親近感で生き生きと輝く緑の目を、奥深くまで覗き込みながら言った。「きみに知ってもらいたいんだ、これは私の最大の勝利のひとつだってことをね」

10

バスター——ボールを拾ってくる猫

　クリスマスの季節になると私はいつも決まってある小さな猫を思い出す。私が最初にその雌猫を見たのは、犬が具合悪いということでエインズワース夫人に呼ばれた時のことだった。暖炉の前に毛むくじゃらの黒い生きものが坐っているのを見て、私は少し驚いた。

「奥さんが猫を飼っているとは知りませんでしたね」と私は言った。

　夫人はにこりとした。「うちの猫じゃないんですの、このデビーは」

「デビー？」

「ええ、少なくともうちではそう呼んでいるんですの。野良猫なんですのよ。週に二、三度ここへ来るので、餌《えさ》を上げているんです。どこのお宅の猫なのかわからないんですけど、いつもはこの道路沿いのどこかの農場にたむろしているんじゃないかと思いますわ」

「ここに住みつきたがるようなようすはないんですか？」

「いいえ」エインズワース夫人は首を振った。「デビーはとても臆病なんですの。こそこそと入ってきて、餌を少し食べ、それからスーッと出て行くんです。とても魅力的なところのある猫なんですけれど、わたしであれだれであれ、自分の生活に干渉してもらいたくないというようすなんですのよ」

私はもう一度小さな猫に目をやった。「しかし今日のデビーは餌を食べようとしませんね」

「そうなんですの。どうかしたのかなとも思いますが、でもデビーは時々この居間へこっそり入ってきて、暖炉のそばに二、三分坐っているだけのことがあるんです。まるでほっと一休みしているという感じなんですの」

「なるほど……おっしゃることはわかります」小さな猫のようすになにかただならないものがあるのは確かだった。石炭が真っ赤に燃えている暖炉の前に敷かれた毛足の長い敷物の上に背筋をまっすぐにして坐っていた。からだをまるめたり、顔を洗ったりといったことはいっこうにする気を見せず、ひたすらまっすぐに前方を見つめてい

た。埃《ほこり》だらけの黒い毛に包まれ、痩《や》せこけた山猫のようなようすに、私はなにか手がかりがつかめるように思えた。猫にとってこの瞬間は特別な出来事、稀有《けう》ですばらしい時、普段の暮らしでは思いもよらないような居心地のよさを楽しめる時なのだ。

　私が見守っていると、猫は立ち上がって向きを変え、音もなくそっと部屋を出て姿を消した。

「デビーはいつもあんなふうなんですのよ」エインズワース夫人は笑った。「いつも十分もしないうちに出て行くんです」

　エインズワース夫人は小太りで感じのいい顔をした四十代の女で、獣医にとって理想的な依頼人だった。裕福で、気前がよく、三匹の甘やかされたバセットハウンド（短脚の猟犬）を飼っていたからだ。三匹とも生まれつき悲しげな顔つきをしているのだが、そのうちの一匹がちょっとでも憂い顔を増しさえすれば、それだけでもう私が大急ぎで往診に駆けつける条件を満たすのだった。その日はバセットハウンドの一匹が足を持ち上げて耳を二、三度掻いたところ、夫人はもうすっかり心配になって、慌てて電話をかけたというわけだった。

　そんなわけでエインズワース家への往診は頻繁《ひんぱん》だったものの、不要不急の往診だったので、小柄な猫に出会って観察する時間がたっぷりあり、私はしだいに興味を覚えるようになった。ある時、ふと気づくと、猫がキッチンへの入口で優雅に皿をなめていた。私がじっと見ていると、猫は皿を離れ、まるで空中に浮いているような軽やかな足取りで玄関ホールを通り、ドアの開いている戸口から居間へと入ってきた。

三匹のバセットハウンドはすでに家の中にいて、暖炉の前の敷物の上で掛け布を掛けられ、いびきをかいていた。三匹ともデビーには慣れっこになっているようすで、二匹は退屈そうに猫のにおいを嗅ぎ、残りの一匹は眠そうな目で首をちょっとだけ持ち上げると、すぐにまたばたりと毛足の長い敷物に横になってしまった。

デビーは三匹の中に坐っていつもの姿勢を取った。背筋をピンと張って、赤々と燃える石炭を魅入られたようにじっと見つめはじめた。その時、私は猫と仲よくなってみようと思った。そこで慎重に猫に近づいたのだが、私が手を伸ばすと、猫のほうは私の手を避けた。しかしながら、根気よく甘言を並べ、やさしく話しかけつづけることによって、なんとか猫に触れることができたし、一本指で頬をそっと撫でることもできた。頭を片側へ傾げたり、私の手に背中をこすりつけたりという反応を見せる瞬間もあったが、すぐに部屋を出て行こうとしはじめた。いったん建物を出ると、デビーは矢のように素早く道路を走って行き、生け垣の隙間を見つけて潜り込み、雨に濡れる牧草地へ抜け出ると、小さな黒いからだで飛ぶようにどこかへ消えて行った。

「いったいどこへ行こうとしているんでしょうね」私は半ば独り言のように言った。

エインズワース夫人が私のそばに現れた。「それはわたしたちにはどうしても解けない謎なんですのよ、先生」

＊

エインズワース夫人からの往診依頼が途絶えてほぼ三カ月になっていたに違いない。それほど長い期間にわたって三匹のバセットハウンドがなんの症状も示さないとはなんとも不思議だと思いはじめた時、夫人から電話がかかってきた。

折しもクリスマスの日の朝で、夫人は弁解から始めた。「ヘリオット先生、よりによってこんな日にお手を煩わせて申し訳ございません。クリスマスですから、ほかのみなさんと同じようにお休みしたいはずだとわかってはいるんですけれど」ごく自然な礼儀正しいものの言い方ではあったが、その声から苦悩の色を隠せなかった。

「どうぞご心配なく」と私は言った。「今回はどの犬なんです？」

「うちのワンちゃんたちでなく、実は……デビーなんです」

「デビー？　デビーがいまお宅にいるんですか？」

「ええ……でも具合悪そうなんです。急いで診にきていただけますか？」

商店に囲まれた広場を車で走り抜けながら、クリスマスの日のダロウビーはディケンズの世界が甦《よみがえ》ったようだと改めて感じた。だれもいない広場の敷石に分厚く雪が積もり、家並みの屋根のフレット模様（方形の帯状模様）のついた庇《ひさし》からはつららが下がっていた。店は閉まり、ひしめく家々の窓にきらめくクリスマスツリーは暖かく手招きしているかのようで、町の背後に控える冷たく白い巨大な丘陵地へ向かう気力を鈍らせた。

　エインズワース夫人の家はピカピカ光るものや柊《ひいらぎ》で華やかに飾り立てられ、サイドボードにはずらりと飲みものが林立し、キッチンからはセージとタマネギを詰めた七面鳥の豊かな香りがふんわりと漂っていた。しかし私を出迎えて居間へと案内する夫人は心配でたまらないという目つきだった。

デビーは確かに暖炉の前にいたが、今回はまったくようすが違っていた。いつもの姿勢で背筋をピンと伸ばして坐るのでなく、身じろぎもせずにぐったりと横たわっていて、そのすぐそばにちっぽけな黒い子猫がうずくまっていた。

　私は戸惑いを覚えて訊いた。「これはいったいどうしたんです？」

「なんとも奇妙なことなんですの」とエインズワース夫人は答えた。「デビーはこの数週間姿を見せなかったんですけれど、二時間ほど前に突然入ってきたんです――よろよろとした感じでキッチンへ、しかもこの子猫を口にくわえて。デビーはそのまま子猫を居間へ運んで行き、敷物の上に降ろしたんですの。最初わたしは面白がったんです。でもそのうちになにかようすがおかしいと気づいたんですの。デビーはいつもと同じ姿勢で坐ったんですけれど、いつまでも——一時間以上も——出て行こうとしなかったものですから。そうこうするうちにこんなふうに横たわって、動かなくなったんです」

私は敷物に跪《ひざまず》いて、デビーの首や肋骨を触診した。からだはこれまでになく痩せこけ、体毛は汚れ、泥がこびりついていた。私がそっと口を開けても猫は抵抗しなかった。舌と粘膜は異常に血の気がなく、私の指先に触れる唇は氷のように冷たかった。瞼を開けて、どんよりした目を見届けると、私の心の中で弔いの鐘が鳴った。

なにがそこに見つかるかを確実に予見しながら、暗澹《あんたん》とした気分で私は腹部を触診した。指先が固くこりこりした塊を探り当てても、私はべつに驚かなかった。ただやるせない悲しみを覚えただけだった。手遅れで、手の施しようがなかった。聴診器を心臓に当てて、いや増しに弱く、速くなって行く鼓動に耳を傾けた。やがて私は自分のからだを起こし、背筋を伸ばして敷物に坐り、炎のぬくもりを顔に感じながら見るともなく暖炉の火を覗き込んだ。

エインズワース夫人の声が遠くからのように聞こえてきた。「デビーは病気なんですの、ヘリオット先生？」

私はためらった。「ええ……そうです。残念ながら悪性腫瘍《しゅよう》ができているんです」

私は立ち上がった。「私にはまったくどうにもなりません。申し訳ありません」

「まあ！」夫人は片手で口をふさぎ、目をまんまるに見開いて私を見た。ようやく言葉が口に出てきた時、その声は震えていた。「そういうことでしたらすぐに眠りに就かせてあげないといけませんわ。できるのはそれだけです。苦しませておくわけにはいきませんから」

「その必要はありません、エインズワースさん」と私は言った。「もう死にかかっています。昏睡状態なんです。苦しみはとっくに通り越しています」

夫人は急いで私から顔を背け、じっと動かずに立ちながら、必死に感情を堪《こら》えようとした。やがて堪え切れなくなると、デビーのそばに崩れるように跪いた。

「ああ、かわいそうなデビー！」夫人はすすり泣き、もつれた毛に留めようもなく涙を落としながら、何度も何度も猫の頭を撫でた。「きっととても苦しい思いをしていたんだろうね、おまえ。もっとなにかしてあげればよかったんだわ」

私はしばらく黙っていた。夫人とともに悲しみを味わっていた。キラキラとした季節の飾りつけで祝祭的な雰囲気の部屋が場違いな感じだった。やがて私は静かに口を開いた。

「奥さんは最善のことをしてあげたんです」と私は言った。「あんな親切はだれもしてあげられませんよ」

「でも家の中に引き留めておけばよかったかも知れません——この暖かいところに。死ぬほどの病気にかかっているのに野外の寒風にさらされていたなんて、あまりにもかわいそうですわ。病気だなんて考えもしなかったんですの。それに子猫まで産んで……いったい何匹産んだのでしょう？」

私は肩をすくめた。「さあ、そこんところは見当もつきませんね。たぶんこれ一匹だけかも知れません。時々そういうことがあるんです。デビーは自分で子猫を連れてきたんですね？」

「ええ、そうなんです……ほんとうに……自分で連れてきたんですの」エインズワース夫人は汚れた黒い子猫を抱き上げた。彼女が泥だらけの毛を指で梳いてやると、小さな口を開けて、音もなくニャーオと啼いた。「不思議だと思いません？　デビーは死にかけながらも、ここへ子猫を連れてきたんです。しかもクリスマスの日に」

私は腰を屈めてデビーの心臓に手を当てた。もはや鼓動はなかった。

私は顔を上げた。「残念ながら死んだようです」私はほとんど羽根のような重さしかない小さな亡きがらを抱え上げ、敷物の上に広げられていたシートで包むと、車まで運んで行った。

私が戻ってくると、エインズワース夫人はまだ子猫を撫でていた。涙が頬で乾いていて、夫人は明るい目で私を見た。

「わたしこれまで猫を飼ったことがないんですの」と彼女は言った。

私はにこりとした。「でも、どうやら初めての一匹をすでに手に入れたようですね」

＊

実際夫人は子猫を飼うことに決めた。子猫は急速に大きくなり、つやつやした毛並みの美しい猫になった。性質は騒々しく、そのために騒ぎや《バスター》という名前をつけられた。この雄猫は臆病で小さかった母猫とはあらゆる点で正反対だった。秘密の野外生活での餌不足などは無縁で、エインズワース家の豪華な絨緞の上を王様のようにのし歩き、いつもつけている華麗な首輪がひときわ存在感を盛り上げていた。

往診のたびに私は成長ぶりを観察し、喜んだものだが、私の記憶にいまだに残っているのはつぎの年、つまりバスターがやってきて一年目のクリスマスの日のことだ。

私はいつものように回診に出ていた。クリスマスの日に働かなければならなくなったのはいつからだったか思い出せない。なにしろ動物たちはクリスマスを休日とはなかなか認めたがらないのだ。しかし歳月の経過とともに、かつて感じていた漠然とした不満は哲学的あきらめに取って代わられてしまった。凍てつく空気の中、丘陵地のあちこちの納屋のあたりをうろつくことによって、ベッドに寝たり、暖炉のそばでぐったりしている何百万ものほかのひとたちより、七面鳥をおいしく食べられる食欲を増進しているわけだった。それにもてなし好きな農場主たちから差し出される数え切れないほどの食前酒によって食欲はますます昂進《こうしん》する仕組みになっていた。

顔をばら色に染めて私は家路につこうとしていた。何杯かのウィスキーを飲んだ後だった。しかもスコットランドと違って不慣れなヨークシャーのひとたちがまるでジンジャーエールででもあるかのようになみなみと注ぐウィスキーだ。おまけにアーンショーおばあさんのところで喉から爪先まで焼け焦げそうな大黄《だいおう》ワインをごちそうになっていた。エインズワース夫人の家の前を通りかかると、私を呼び止める叫び声が聞こえた。

「ヘリオット先生！　クリスマスおめでとうございます！」夫人はちょうど訪問客を玄関まで送り出したところで、私に陽気に手を振っていた。「ちょっとお寄りになって一杯いかがです。からだを暖めて行ってくださいな」

からだを暖める必要はなかったけれども、私はためらわずに車を道端に停めた。家の中は去年と同じくどこもかしこも祝祭的に飾り立てられていた。ふわりと漂ってくるセージとタマネギのすばらしい香りも同じで、思わず生唾が出てくるほどだった。しかし悲しみの種はどこにもなかった。代わりにバスターがいた。

黒猫は三匹の犬に順番に飛びかかっていた。耳をぴくつかせ、目はいたずらっぽくぎらつかせて、軽く前足で引っ掻き、素早く逃げ去るのだ。

エインズワース夫人は笑った。「ご覧のようにバスターはワンちゃんたちには災厄なんですの。いっときもそっとしておかないんです」

夫人の言うとおりだった。バセットハウンドにとって、バスターの到来はロンドンの排他的なクラブへ不遜な部外者が闖入《ちんにゅう》したような出来事だった。長い間犬たちは落ち着いた優雅な生活を送ってきた。いつも決まった時間に女主人に連れ出されての穏やかな散歩。たっぷりとした量の上等な餌。敷物や肘掛け椅子での長い昼寝の時間。そういう日々が波風立たずに来る日も来る日も続いていたところへ、バスターがやってきたのだ。

バスターはもういっぺん一番若い犬に躍りかかろうとしていた。今回は横向きに、首を片側に傾げながら、相手を挑発しようとしていた。いったん前足でのちょっかい

が始まると、さすがのバセットハウンドも堪忍袋の緒が切れた。威厳などはかなぐり捨て、しばらくは猫を相手の取っ組み合いをするはめになった。
「先生にお見せしたいことがありますの」エインズワース夫人はサイドボードから硬いゴムボールを取り出し、バスターを連れて庭へ出て行った。夫人が芝生の先へボールを投げると、猫は霜の降りた芝生の上を飛ぶように追いかけて行った。黒くつややかな体毛の下で筋肉がさざ波を打つのが目に見えるようだった。猫はボールを口にくわえると夫人のところまで戻ってきて、夫人の足元にそれを落とし、期待のまなざしで待ち受けた。夫人がまたボー

ルを投げると、猫は今度も拾ってきた。

私は信じがたい面持ちであんぐりと口を開けた。ボールを拾ってくる猫とは！　バセットハウンドたちは軽蔑するように眺めていた。犬たちはどんなに誘いかけてもボールを追いかける気になどなりそうになかった。しかしバスターはまったく飽きることなくいつまででもボール拾いを繰り返した。

エインズワース夫人は振り向いて私を見た。「こういう猫をご覧になったことがおありですか？」

「いや、ありませんね」と私は答えた。「バスターはこの上なく珍しい猫ですよ」

夫人は遊びをやめてバスターを抱え、私とともに家の中へ戻って行った。居間に入ると彼女は猫に頬を押しつけた。大きな猫が喉を鳴らし、背中を弓なりにして彼女の頬に気持ちよさそうに押しつけ返すと、夫人は声を上げて笑った。

健康と満足感を絵に描いたようなバスターを見つめながら、私は母猫のことを思い出していた。こう考えたら大袈裟《おおげさ》だろうか――あの瀕死の小さな母猫は自分が知っているただひとつの居心地よく暖かい避難所へ、そこへ連れて行けば世話をしてもらえるかも知れないと期待し、最後の力を振り絞って子猫をくわえてきたのではなかったか、と？　恐らくそうだったのだろう。

　そう考えるのは、どうやら私ひとりではなさそうだった。エインズワース夫人が私のほうを振り向いた時、表情はにこやかだったが、目の奥にはもの寂しさが宿っていた。
「デビーは喜んでいるだろうと思いますの」と夫人は言った。
　私は頷いた。「ええ、きっとそうですよ……デビーがこのバスターを連れてきたのは、ちょうど一年前の今日でしたね」
「ええ、去年のクリスマスの日でした」夫人はバスターをもう一度抱き締めた。「わたしが頂いた最良のクリスマスプレゼントですわ」

訳者あとがき

本書は*James Herriot's Cat Stories* (St. Martin's Press, New York, 1994) の全訳である。

本書は生前に出版されたジェイムズ・ヘリオットの最後の本の翻訳でもある。特に「作者からのメッセージ」は、手紙の類いをべつにすると、文字どおり彼の書いた最後の文章ということになるのかも知れない。彼は一九九五年二月二十三日、前立腺癌のために七十八歳で亡くなったのだった。

孫娘のエンマ・ペイジ（ヘリオットの娘ローズの子供）が最後の瞬間をこう語っている――「祖父はこの三年間具合が悪かったのですが、とても辛抱強く、勇敢に、病気に耐えていました。今日、自宅で家族のものすべてに囲まれながら、穏やかに息を引き取りました」

「この三年間」――孫娘のこの言葉にはヘリオットをめぐるちょっとした謎解きの鍵

が隠されている。彼は三年前の一九九二年の暮れに突然、アメリカの週刊誌『タイム』のインタヴューに応じた。それまで雑誌その他のマスメディアのインタヴューには原則的に応じていなかった彼がなぜ変心したのか？　これはちょっとした謎だったのだ。いまやその謎は解けた。彼に心境の変化をもたらしたのは、三年前に取りついた癌という名の死病だったのだ。

ともあれ、それまで杳《よう》としてわからなかったヘリオットの伝記的側面が『タイム』のインタヴュー記事によってかなり詳しくわかるようになり、さらにその後の訃報に続く追悼記事でもっと詳しく紹介されることになった。グレアム・ロードの「成功はあなたのおかげだとジェイムズ・ヘリオットがいつも私に言っていた理由」はそれらの追悼文のひとつであり、巧みな筆致で、ヘリオットが律義に終生抱きつづけた一介の書評子への感謝の念が語られている。

伝記的側面が公表されてはっきりしたのは、ヘリオットが清貧のひとだったという事実だろう。それはグレアム・ロードが最も強調している点でもある。ロードは前記の追悼文でヘリオットをアッシジの聖フランチェスコに譬《たと》えているが、それは単に動物愛護精神によってばかりでなく、清貧の思想によっても、ふたりに共通点があったからだと思われる。

どんなに本が売れ、テレビドラマが評判になっても、ヘリオットはいっさい生活を変えることがなかった、とグレアム・ロードは追悼文に書いている。彼と妻のジョアンはこぢんまりとして質素な二寝室の平屋に住みつづけたのである。「彼は最後の最後まで、穏やかで気取りのない田舎獣医のままでいた」とグレアム・ロードは書き、彼だけがしばしば許されたインタヴューで、ヘリオットが語ったつぎのような言葉を紹介している。

「成功がもたらしてくれたただひとつのことは、足元が固まったということでしょうね。私は以前にしなかったことは、いまでもなにもしていません。以前に買わなかったものは、いまもなにひとつ買っていないんです。やりかたを変える意味がわからないんです。仕事をこなし、犬たちを散歩に連れて行き、友人たちと一パイントのビールを飲むのが好きなんですよ。高級な生活や高級な社会や高額な物品は嫌いなんです」

ここにヘリオットの清貧の思想の真髄があると思われる。

さて、ジェイムズ・アルフレッド・ワイト（ヘリオットの本名）は一九一六年十月十三日、サンダーランドに生まれた。父親はその土地の造船工場労働者だったが、後にグラスゴーへ引っ越して、無声映画の伴奏をするピアニストとなった。母親は歌手だった。

ジェイムズはグラスゴー獣医大学で学び、一九三九年に獣医の資格を取り、翌一九四〇年にサースクへやってきて、ドナルド・シンクレアの面接を受け、そのパートナーとして働きはじめる。ほどなくジョアンと結婚し、息子のジェイムズ・ジュニアができるが、そのうちに戦争が始まって、英国空軍に入隊することになる。飛行機の操縦を習って、もう少しで操縦士の資格が得られるという時に、臓器疾患で入院して手術を受けるはめになり、資格を取らないまま、除隊になってサースクへ帰り、やがて娘のローズができる……伝記的側面がわかったと言っても、事実はほぼこの程度のことであるが。

もとより、一九四〇年以後の生活はジェイムズ・ヘリオットが書いた虚構交じりの伝記的作品に一年刻みの細かさで語られている。それを整理してみるとつぎのようになる。

合本第一作 *All Creatures Great and Small* (1972)（邦題『ヘリオット先生奮戦記』）——サースク（すなわち作中のダロウビー）でドナルド・シンクレア（作中のシーグフリード）のパートナーとなってから、ジョアン（作中のヘレン）と結婚するまで。

合本第二作 *All Things Bright and Beautiful*(1974)（邦題『ヘリオット先生の動物家族』）——結婚後、息子の誕生を経て、戦争が始まるころまで。

合本第三作 *All Things Wise and Wonderful*（1977）（邦題『Dr. ヘリオットのおかしな体験』）――英国空軍入隊から除隊まで。

The Lord God Made Them All（1981）（『ヘリオット先生の愉快な往診日記』という総タイトルである女性雑誌に部分的に邦訳された）――除隊後のサースク帰還から、四歳の息子ジェイムズ（作中のジミー）の下に娘ローズ（作中のロージー）が生まれるまで。

Every Living Thing（1992）（邦題『生きものたちよ』）――十歳の息子と六歳の娘が登場し、サースク郊外の静かな場所に平屋の家を建てるなど、一九五〇年代のエピソード。

彼は一九五〇年代までの出来事しか書かなかった。獣医としての最初のほぼ二十年間の生活の記録である。これには理由があって、それを彼は『タイム』のインタヴューでこう語った――「昔は農夫たちは教育を受けていず、風変わりで、おかしなことを言ったものなんです。私たち自身も相対的に教育不足でした。抗生物質はなかったし、薬もほとんどなかったんです。雌牛の喉からものを流し込むのに多大な時間を遣ったりしましてね。なにもかもがみんなおかしなことばかりだったんです。いまは科学こそ進歩しましたが、昔ほどの笑いはありませんね」

事実をありのままに書けば、おかしな物語になるという、作家にとってこの上ない幸運な時代は一九五〇年代までで終わったということだろう。科学の進歩は笑いを奪ったと彼は考えていたようだが、科学の進歩そのものに背をむけていたわけではない。勉強家の彼は絶えず新しい医学知識を吸収しようと努めていたのだった。彼は抗生物質出現以降のことを書かずに死んでしまったのである。

この『猫物語』に収められた十の短編はすべて、まだありのままの事実が物語になったころの猫をめぐるエピソードで、クリスマスの物語で終わる。そこになんらかの構成上の意図があったのかどうかは定かでない。しかし、敬虔とまでは言わないまでも、普通のクリスチャンだったヘリオットは、いつもクリスマスを浮き浮きしながら待っていたに違いない。キリストの誕生を祝うクリスマスは希望という言葉と同義語なのだ。最後のアンソロジーをクリスマスの物語で締めくくったという事実には、死期を迎えつつあった作者の死後への希望と、あとに残される人間と動物たちへの期待が——物質文明に溺れることなく、清貧を旨として生きてほしいという期待が——託されていたように思われる。

大熊　榮

猫は猫のことば

角野栄子

子どもの頃はずっと猫といっしょだった。でも今は小さな犬と暮らしている。

私はその犬を抱き上げて、足の裏の肉球をくちくちとつまみながら、「ねえ、カヤちゃん、ヘリオット先生、死んじゃったんだって。どうしようねえ」とつぶやいた。本当にどうしようねえ、という気持ちになってしまった。私のつぶやきを聞いてなにを思ったのか、カヤはほそいしっぽを盛大に振って、私の鼻をぺろりとなめた。あのダロウビーに先生がいてくれる、あたたかい目でちいさな生き物とその周りの人々を見てくれてると思うだけで、なにか安心だった。遠く離れてる私も、カヤも……もうあの物語の続きが読めないのかと思うと、本当にどうしよう。

ヘリオット先生が暮らしたノース・ヨークシャーにあるダロウビー（本当はサース

ク）という町は知らない。でも石灰岩を積み上げただけの低い石垣に囲まれた牧草地がうねうねと続いているという風景は、イギリスの田舎で何度か見たことがある。石垣は羊が飛び越せないぐらいの高さ、でも人の視界はさえぎらない。そんな石垣すれすれに古い自動車の背中を見せながらドクター・ヘリオットは走り続けた。そしてそこに住む動物と人びとがかもしだすおかしな空気を切り取ってみせてくれた。

ヘリオット先生の出会う猫はどれも独特の風格がある。私が本当にあきれ、かつ尊敬をしてしまうのは、教会や婦人会や果てはヨガの集会にまで出かけ、ちゃっかり猫的教養を積んでくる猫のオスカー。なんとその町の集会スケジュールまできちんと把握しているのだからうれしくなる。

またキャンディー屋さんと猫のお話。キャンディー屋さんと猫のアルフレッドはまるでふたごの時計のように時を刻む。まさに喜びも悲しみもなのだけれども、体から商売までも反応してしまうのが、なんとも神秘！　黒い鼻の毛で覆われた小さな生き物がこんな大きな力をもっているなんて。

このように作中の猫はどれも風変わりで、おかしな魅力をもっている。でもまわりの人たちもそれに負けないで、がんばっている。猫はもしかしたら持ってうまれた秘密をすこしずつ見せながら、周辺の人も自分の世界へとまねき猫しているのかもしれない。そして密かに人という生き物を育てているのだ、きっと！

四、五歳のころ、家にいたとら猫のチョビのことを思い出した。家に来たときチョビはまだほんの子猫だった。私も子猫のようにちいさかったから、しっぽを邪険に引っ張ったり、歯をこじ開けて、ざらりとした舌をさわってみたりと、気ままな遊びの相手にしていた。

でも時々ぎゅっと抱きしめたときのなんともいえない一体感は忘れられない。やわらかくって、持ちおもりがして、ほんのりとした暖かさはとろけるようだった。

子供は明るくって、無邪気と大人はいい、そう思いたがるが、小さな子はときどき不安でいっぱいになる。そんなとき私はチョビを抱きしめた。どんなに強く抱きしめてもチョビはじっと我慢してくれた。すると私の不安はチョビのぬくもりのなかに、少しずつ消えていった。夜になると、チョビは私の布団に入ってきて、そっと体をくっつけて、くるくるとまわって丸くなる。それは一人で寝る私の寂しさを引き受けてくれるように思えた。それなのに布団のなかがあたたかくなると、さっさと抜け出していく。こんなに心が通い合っているのに、どうしてそっけない態度がとれるのか、小さな私は裏切られたような気持ちになった。私の場合、猫とのお付き合いはこんな風に、ごく普通に始まったと思う。

それからずっとずっと時間が過ぎて、私は子供の物語を書くようになって、作品のなかの人物や動物はなるべくそのものに一番ふさわしい世界をつくりたいと思っていた。なるべく自然に見えるように、でも意外性のあるように。秘密もどこかにかくしてみたい。そして「ぼんやり」という名のひょうとか、船長さんの黒いラシャの上着から生まれてきたフィフィという猫とか、少女の魔女と暮らすジジという猫の話などを書いた。その後それぞれは物語のなかでずいぶんと自己主張をはじめるようにはなるけど……でもそれは紙と鉛筆の間から生まれてきた存在だった。

今回ヘリオット先生の『猫物語』を読み返して、以前本当にあったおかしな猫の話を思い出した。

名前はトンちゃん。友人の飼っていた雄猫だった。ある日、電球の一つがきれてしまい、背高のっぽのその家の息子が取り替えることになった。天井は高い。彼は椅子のうえにちいさな踏み台をかさねて、昇った。手をのばして電球をはずそうとしたとき、足元がぐらりと動いた。「あっ、おねえちゃん、押さえて、お願い」彼はそばで本を読んでいるおねえちゃんにたのんだ。でも本に夢中でおねえちゃんは気がつかない。「ねえ、押さえてよう」かれはもう一度叫んだ。するとトンがさっとよってきて、手をかけて押さえたというのだ。

このトンにはもうひとつおかしな話があった。ある日、トンは流しにおいてあった大好物のエビをみて我慢ができなくなった。友人の目を盗んで、素早くいっぴきくわえてにげた。それに気がついた、友人が「トン、あんただね。なんてわるいこ」と叫んだという。すると、一時してエビはもとに戻り、恐縮してうつむいてるトンがそばにいたというのだ。なんておかしくも、いじらしいトンなのだろう。こういうものたちといっしょに生きられるって幸せだなと思う。そこに、「ごめんなさい」も、言い訳の言葉もないから余計たのしい。

私は同居犬カヤを見ながらふと思うことがある。もし猫や犬が言葉をしゃべったらどうだろう。今売り出し中のロボット犬はおしゃべりをするようだし、どんどんお利口にもなっていくらしい。でも私は猫は猫の言葉、犬は犬の言葉だけがいいと思う。なにもかもはっきりわかってしまうのはつまらない。言葉がないということは、どれだけにぎやかな世界を見せてくれることか。ドクター・ヘリオットの書く人や生き物の面白さもきっとこの辺にありそうだ。想像という宝ものから生まれてきたのだと思う。どうも言葉は見えない世界を無理矢理に見せてしまうところがあって、これは用心したほうがよさそうだ。

ダロウビーの人たちが近代的な農場のありかたなど研究して、しっかり効率計算を始めたら、あんなおかしみは生まれてこなかったかもしれない。情報が行き交うなかで、暮らしの周辺の不思議を見る目を人は失ってしまったように思う。これからますます目に見えることにとらわれる世の中になっていきそうなのだ。
でもなんとか……せいぜい……心をやわらかく動かして、わたしたち、ドクター・ヘリオットになりましょうよ。

（作家）

ジェイムズ・ヘリオット著作リスト

●著書

If Only They Could Talk（1970）
It Shouldn't Happen to a Vet（1972）
右二作を合本*All Creatures Great and Small*（1972）『ヘリオット先生奮戦記（上・下）』大橋吉之輔訳、ハヤカワ文庫
Let Sleeping Vets Lie（1973）
Vet in Harness（1974）
右二作を合本*All Things Bright and Beautiful*（1974）『ヘリオット先生の動物家族』中川志郎訳、ちくま文庫
Vet in Fly（1976）
Vet in a Spin（1977）

右二作を合本*All Things Wise and Wonderful*（1977）『Dr.ヘリオットのおかしな体験』池澤夏樹訳、集英社文庫

The Lord God Made Them All（1981）『ヘリオット先生の愉快な往診日記』野口みどり訳、「ヴァンテーヌ」誌に一九九四年三月号から九六年二月号にかけて掲載

James Herriot's Yorkshire（1981）

The Best of James Herriot's（1983）

James Herriot's Dog Stories（1986）『愛犬物語（上・下）』畑正憲、ジェルミ・エンジェル訳、集英社文庫

Every Living Thing（1992）『生きものたちよ』大熊榮訳、集英社

James Herriot's Cat Stories（1994）『猫物語』本書、大熊榮訳、集英社文庫

James Herriot's Favorite Dog Stories（1995）『犬物語』大熊榮訳、集英社文庫

James Herriot's Animal Stories（1997）

●児童書

Moses the Kitten（1984）

Only One Woof（1985）

The Christmas Day Kitten（1986）
Bonny's Big Day（1987）
Oscar, Cat-About-Town（1990）
The Market Square Dog（1991）
Smudge, the Little Lost Lamb（1991）
James Herriot's Treasury for Children（1992）
Blossom Comes Home（1993）

この作品は一九九五年、『猫物語』として集英社から刊行されました。

集英社文庫

猫《ねこ》物語《ものがたり》

2001年12月19日　第1刷

定価はカバーに表示してあります。

訳者　大《おお》熊《くま》榮《さかえ》

編集　株式会社 綜合社
〒101-0051　東京都千代田区神田神保町2―23―1
電話　東京（3239）3811

発行者　谷山尚義

発行所　株式会社 集英社
〒101-8050　東京都千代田区一ツ橋2―5―10
（3230）6094（編集）
電話　東京（3230）6393（販売）
（3230）6080（制作）

印刷
製本　図書印刷株式会社

ISBN4-08-760405-5 C0197